新沖縄風物誌 II

喜舍場朝順

新沖縄風物誌 II

目次

第一章　沖縄の風物——9

第二章　沖縄点描 41

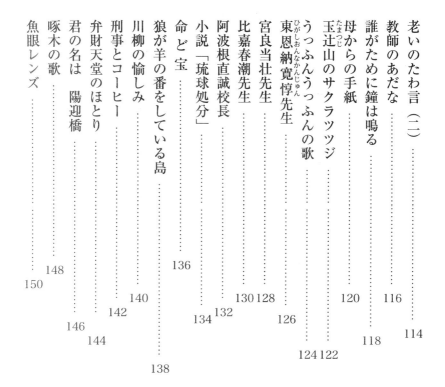

第四章　小　説

第一章　沖縄の風物

オオイヌノフグリ

南城市の知念城址は急な坂道を登って行く。坂の途中の細道に這いつくばるように青い小花が咲いている。那覇近郊では見たことのない花なので植物図鑑で調べてみた。オオバコ科オオイヌノフグリとある。オオイヌノフグリとはケッタイな名だ。花も実も何の関連もないのだから。犬の陰嚢と名づけたものはきっといたずら好きの爺にちがいない。それにしても可憐という言葉はこのオオイヌノフグリのためにあるのだ。可愛らしい青い小花である。知念城は御嶽でもあったから白装束に身をつつみ草の冠の祝女《のろ》たちが祈りをささげながら通った道である。きっと裸足で踏んだにちがいない。鬱蒼《うっそう》と繁った森の中からオモロの謡が聞えてくるようだ。

しかし数年後訪ねてみると細道は拡張されていた。まさかと思いながら周辺を探し、丘の上の刑務所まで探したのだがオオイヌノフグリに出会うことはなかった。

オオイヌノフグリに逢いたくて情報を求め与座岳や摩文仁の丘と訪ね歩いたが青い小花の彼女に巡り会うことはなかった。オオイヌノフグリの花の時期は春分のころから清明の季節に咲く。

数年後、娘夫婦と東京で桜見物の機会があった。後楽園近くの小石川の東大植物園で桜見をしていたら、なんとオオイヌノフグリの群落がある。まるで東京で恋人に会ったような気持ちで、しばし懐旧の情にひたった。

祝女たちも見たか御嶽の犬ふぐり

カワラナデシコ

むかし、高校教師をしていたころ、修学旅行の引率で長野県の小諸古城を訪ねることになった。島崎藤村ゆかりの地で、城下の千曲川におりていって河原を散策した。土堤一面にカワラナデシコの薄いピンクの花が風に揺れている。日本女子サッカー代表の代名詞となっているが、風に揺れる姿はなよなよとしてやはり撫子《なでしこ》であった。

ぼくの庭にもカワラナデシコがあるが背丈は80cmにも達し春になると美しいピンクの花が咲く。陽あたりのよい場所では秋の彼岸にも咲くことがある。仕事にかまけて水やりを怠って何度も枯らしたことがあるが、そのつど妻の親友の花咲か婆さんが花の苗を送ってくれる。わが家には沖縄各地から花の便りがとどく。渡嘉敷島からは「ナンゴクネジバナが咲いたよ」。また恩納村の淑女からは万座毛に「オキナワギクが咲いたよ」

と電話してくれる。

むかし教職にあったころ、カワラナデシコの自生地を探すために久米島中を探しまわった話はここでは省略する。

あるとき、テレビを見ていたらカワラナデシコの映像が目に飛びこんできた。砂地らしい道ぞいに垣根をつくり、ご婦人が水やりをしているではないか。渡名喜島の人たちがカワラナデシコを育てている姿であった。

ぼくは飛行機に乗るときは、できるだけ左側に坐ることにしていた。那覇空港に着陸するとき、青い海と環礁につつまれている渡名喜島を見るのが楽しみであった。

おお　ムラサキシキブ

「いづれの御時にか女御更衣あまたさぶらゐたまひける中にいとやんごとなき際にはあらぬがすぐれて時めき給ふありけり」御存知「源氏物語」の冒頭の文である。この桐壷の更衣が生んだ貴公子が光源氏だ。

ムラサキの色はノーブルな感じに色どられイギリスでは貴族階級の気高さの象徴で奥ゆかしい色である。奈良の唐招提寺の前庭の垣根にはムラサキシキブが植えられ初秋のころには古代紫の実が美しい。

沖縄のムラサキシキブはオオムラサキシキブという。わが家にも一株植えているがオオをつけるのには少々ためらうほどの小粒だ。読谷村喜名の番所のオオムラサキシキブは大粒で、これぞオオムラサキシキブの名に恥じない大粒の実である。同じ植えるなら読谷産を推奨したい。

ところでぼくは高校の国語教師だったから古典の授業には「源氏物語」も教えた。源氏物語の文法は「枕草子」や「徒然草」に比べて謙譲語が多く難解な文でもあるが、文法解釈の法則をおぼえたら通読できる。「桐壷」と「若紫」は原文で読みたい。

しかし正直なことを申せば、ぼくは源氏物語五十四帖を通読したことがない。まことに恥ずかしい話である。

口語訳には与謝野源氏、谷崎源氏があるが、もっともわかりやすいのは瀬戸内寂聴本であろう。もう一つ田辺聖子訳もおもしろく、読みやすい。

動詞の見分け方

「ず」をつけて語尾を見よ

「アー」とひびけば四段活

「イー」とひびけば上二段

「エー」とひびけば下二段
「カ（変）サ（変）ナ（変）ラ（変）四つの変格
もわずか一つか二つ三つ
名・形・副詞に「サ変」つき副動詞もサ変活

――山城賢孝「万葉の旅」より

第一章　沖縄の風物

ダイサギソウが翔んでいく

「ダイサギソウは陽あたりの良い山地の斜面などに生える地生ラン。高さ30㎝～50㎝で塊根《かいこん》がある。夏の終りから秋にかけて円柱状の花茎《かけい》を出して総状花序をつくり白色の美しい花が咲く」（池原直樹・沖縄植物図鑑）

大和《やまと》産のサギソウはたおやかで華奢な小花だが沖縄のダイサギソウはきりっとした大柄な白花である。首里の金城ダムの比嘉橋の参道の土手にはごく普通に生えていたが金城ダムが完成した後は探しても見かけることはなくなった。識名園へ向かう繁多川馬場でも見かけたが今では跡かたもなく住宅街となっている。わが家でも長年ダイサギソウを賞《め》でてきたが病院暮しが長引いて管理ができず枯らしてしまった。サギソウには申しわけないことをしてしまった。

ある年の秋口に庭のダイサギソウが満開になった。その日は日蝕の日で陽はかげりはじめ、あたりは薄暗くなってきた。太陽が隠れると同時にダイサギソウの花たちが揺れて翼をひろげて次から次へ翔び立っていくのだ。ぼくの目がかすんできてダイサギソウの白い羽だけが音もたてずに、ひらりひらりと舞うように翔んでいく。ダイサギソウの白い羽は識名園の杜を越え、やがて黄金森の大きなクワディーサの葉かげに消えていく。

一瞬　夢からさめて庭のダイサギソウをのぞくと、ふたたび太陽の光りが照り出した。ダイサギソウは何事もなかったかのように庭の鉢に戻っている。

鷺草は日蝕の闇を翔びゆけり　　順

栴檀《せんだん》の話

栴檀の花けぶるなり首里三平等《みひら》

センダンは双葉より芳しという諺がある。大成する人は幼児から人並みはずれてすぐれていることのたとえである。しかし、この諺のセンダンは白檀《ビャクダン》のことで混同されやすい。兼好法師の「徒然草」には楝（おうち）の名で登場する。また沖縄の歌劇「泊阿嘉」には「あまに見ゆるシンダン木　色清らさ泊　前道伊佐のお庭どでえびる」と歌われている。

センダンはセンダン科の落葉高木で香木として家具などに利用されている。春の彼岸のころ薄紫色の小さな五弁花が咲く。首里城から眺めると、北の恩納岳あたりの山々は春霞《はるかすみ》に包まれ、眼下の城下町当蔵ではセンダンの花がけぶるように咲いている。

梅雨明けのころ、センダンの木には、ナービカチカチと鳴くアブラゼミに負けず、クマゼミのアササーが朝早くからサンサンサンサンと大合唱をはじめる。よく喋る女を「アササーの鳴ちゆんねえし」とからかったものである。

しかし近年は宅地造成などのため街中のセンダンは切り倒され夏の風物詩が消えていく。かつて首里の町は家の屋敷ごとに植えられていたが、今その姿はない。

冬の冬至《トンジー》のころ、那覇市上間・真地の屋敷町をそぞろ散策していると、センダンの実が冬空に映えている。屋根の上のシーサーと一緒に眺めるのもまた愉しい。ちなみに首里三平等は首里城下町のこと。

萌えよ　アコウの木

アコウは方言でウスクと言い、ウスクガジュマルとも言う。石灰岩地帯に生える高木で10ｍから20ｍにも達する大木である。実《み》はガジュマルと同じく無花果でスーサーの好餌である。おいしくはないが食べられる。スーサーが好んで食べるので、いたるところに種子をばらまき岩のさけ目でも芽を出す。うりずんのころに萌えたつような若葉は秋口の台風にあうと葉を散らすが、すぐに萌えたつような若葉が繁る。アコウは生命力に満ちあふれる大木である。

首里城の園比屋武御嶽の側に沖縄戦で焼け残った赤木のテッペンにこんもりと繁っていたアコウの木を記憶していらっしゃる方もおいでのはず。

八重山には「鷲ユンタ」という叙事詩の歌謡があって、今では祝宴の時に踊る「鷲の鳥節」が生まれた。

「鷺ユンタ」の歌詞の一部を見てください。

大山ぬ中なんが
長山ぬ内なんが
大あこうぬむやり
実《ない》あこうぬさしより

正月ぬしとうむでぃ
新年ぬ朝ばな
大大和ぬ島ん舞いつけ

この「鷺ユンタ」は大自然の中に生きる島びとたちの瑞々しい生命力を歌っている。歌の島八重山の人々の自然への讃歌である。

セリの話

セリ　ナズナ　ゴギョウ　ハコベラ　ホトケノザ　スズナ　スズシロ　は春の七草。その七草の筆頭にあたるセリの話。

ぼくが生まれた南風原（町）兼城は黄金森を前にして兼城川が流れ、いたる所に小池（クムイ）が散在していた。セリは水辺の多年草だから、あちらこちらに群生していた。ぼくの母はセリが好物で摘んできたセリを酢味噌あえにして食べていた。セリ独特の芳香があって酢の物にすると野趣豊かな味わいであった。いまのセロリやクレソンに近い味。

ずっと以前、嘉手納町の比謝川上流やうるま市照間の田んぼで群生を見たことがある。しかし近年は都市化が進んでセリは全くその姿を消してしまった。スーパーや野菜市でもセリは売られていない。ぼくのひとり合点ではあるがセリは血液循環に有力な薬効があるのではと思っている。

妻のふるさとの大宜味村には近年までセリが残っていた。根路銘上原はティサガ森のある集落でまだ自然がいっぱい残っている。道端の湿地にセリの群生があって誰にも告げずに独りじめにしていたら道路拡張工事でセリの湿地は跡かたもなく消えていた。

セリは大人の好む料理の中の代表格だと思っているがセリを食べられないのは人生の大きな不幸ではないか。もしセリ栽培をはじめる人がいたら需要が多く、きっとセリ長者になること間違いなし。セリは酢味噌もいいがゴマ味噌もいける。あればミジュンやチヌをさばいて添えれば、これまた立派な酒肴の一品となる。

ツツジの話

弥生三月になると東村のツツジ祭りの話題が賑やかになる。沖縄でツツジと言えばケラマツツジのことだが、近年はクルメツツジやヒラドツツジなど多種多様な園芸種のツツジを目にする。

戦後、大宜味村の辺士名高校の裏山はツツジの名所でケラマツツジの赤い花が山を染めていたが、その後ほとんどが盗掘されて今は見るかげもない。盗掘といえば名護市の明治山の北斜面、恩納村の海岸近くの丘陵のツツジやギーマなどの盗掘現場を見た。穴は直径1mほども掘られていて重機のワダチの後は痛々しい姿であった。

ぼくが新聞でツツジの話を書いたら、知人の知人からツツジを観てほしいとの電話があった。とり急ぎその知人の屋上庭園には二〇鉢ほどのケラマツツジが咲いている。

「この株は太いが何十年ほど経ったものですか」とたずねると、その知人は薄笑いをうかべて「渡嘉敷島ですよ」と言って後は言葉をにごした。この株は明らかに盗掘され、ひそかに島から運び込まれたものにちがいない。その後、その知人が亡くなって管理する人もなく、ほとんど枯れてしまったという。

ぼくの家には植物学者・多和田真淳先生からいただいたセンカクツツジがあった。春になると薄ムラサキの小花が愛らしかった。四〇年ほども玄関を飾ってきたが、去年管理がいきとどかなくなって、弟にゆずることにした。

沖縄方言（久米島）ではツツジをサックヮとよんでいて桜と混同することがある。

ヤモリの話

沖縄の夏は長くて暑い。気温を調べると、よるの気温25度以上の熱帯夜は六月十日ごろから始まり、それが終息するのは十月十日ごろ「寒露のタカ渡り」の季節まで続く。沖縄の夏の夜が耐えがたいのは昼夜の温度差がないことである。ぼくが学生時代過ごした東京生活では、たとえ昼間は真夏日でも夜になると気温が下がって暑熱で苦しむことはなかった。

ヤマトの人たちが沖縄旅行して民宿で驚くのは、この寝苦しい夜であるようだ。暑いから窓を開けて寝ようとすると柱をつたって現れるヤモリにまずびっくりする。まるで未知との遭遇みたいな小さな怪獣に見えるらしい。一晩中ヤモリが気になってキッキッキッ　鳴き声に悩まされる。

歴史小説家・海音寺潮五郎の歴史小説「鷲の歌」の中にヤモリについてのエピソードがある。中国ではヤモリのことを「壁虎《へきこ》」と書きローフと呼ぶようだ。ちなみにスマホを覗いてみると、ヤモリは「守宮」と書き幸運をもたらす縁起のよい生き物とある。ホンマかいな。壁の虎は少々大げさすぎるが、なにかしらユーモラスな感じもする。

夜中　汗をかいて外に出てみると、家のコンクリートブロックは暑い。街灯には蛾などの昆虫が飛び交っている。その蛾の群れの中にヤモリが口を開けてパクっとやっている。じっと見つめているとヤモリの夏の夜の狂宴を見る思いがする。

ケケケケケ守宮も笑う熱帯夜

カラスの話

ぼくの住まいは、那覇市真地の識名園の隣にあるから、庭いじりをしているとカラスが二声三声鳴くことがある。識名園の池端にはガラサー森という小高い茂みがあって一羽のハシブトカラスがすんでいる。時々様子を見に行くが日中はその姿はない。もともとカラスは那覇には生息しないから、とても珍しいのである。

数年前、豊見城城址向いの病院に入院したことがあって、饒波川の川口で一羽のハシブトカラスを見たことがあった。ぼくのおぼつかない推理によれば、そのカラスは識名園のカラスと同一人物、いや同じカラスではと信じている。沖縄のカラスは国頭やんばるに多く生息していて、読谷村あたりがその南限ではなかろうか。

カラスは昔から人間に嫌われてきた。カラスを忌み嫌う風習も残っている。疎開先の大分県で遠足に出掛けておにぎりの弁当を松の枝につるしていたら、まんまと持ち逃げされた苦い記憶がある。東京の杉並区に住んでいた時もカラスの横着ぶりを見ているのでカラスは嫌いだ。

沖縄の歌劇に「村（しま）ぬ西東（いり）鳴ちゆるユムガラシ」というせりふがある。この「ユムガラシ」はカラスではなく、「サギ科のゴイサギ」のことである。カラスそっくりに鳴く。ゴイサギは面構えが恐ろしげですごみがある。近年はほとんど見かけない。

今年（二〇二一）に、識名園で七羽のカラスを目撃した。ハシブトではなく、ハシボソのようだ。カラスの棲息地は確実にひろがっている。

牡蠣《かき》の話

宮城新昌さんは大宜味村根路銘生まれの「日本のカキ王」と呼ばれた人物である。そう「おいしゅうございます」とにこやかに笑顔を見せた料理評論家・岸朝子さんのお父さんである。

カキの食べ方にはいろいろあるが、酢じょうゆで食べるのもよく、またカキフライにしてタルタルソースで食べるのもいい。しかしカキはとりたての殻つきのままレモン汁をかけて食べるのが極上ではなかろうか。

数十年前、東北の港町で食べた生ガキのおいしかったこと。海の香りが口の中でとろけて、それはそれは本物の中の本物というにふさわしい味であった。真珠色の殻にそえられたカキの味はワイルドで、わずか3個だけであったが私の舌は今でもその情景を鮮やかにおもいおこしてくれる。

ところで、トルストイの「アンナ・カレーニナ」出だしのところでオブロンスキー伯爵たちがカキを食べるシーンがある。なんと三〇個も注文するのである。このロシア貴族たちは山盛りのカキをペロリと食べてしまう。舌を巻くとはこのことを言うのであろう。

むかしソ連映画の「アンナ・カレーニナ」を見たことがあるが、このカキを食べるシーンはほんのわずかであった。

小説の次のシーンでオブロンスキー伯爵が「駿馬《しゅんめ》（名馬）はその烙印《らくいん》で知られ、恋する者はその瞳によって知らる」というセリフはさすが文豪トルストイの箴言《しんげん》（格言）だと改めて感服したのである。

だから古今の不朽の名作は読み継がれていく。

ゴモジュの花

ゴモジュは方言名をグムルという。子どもたちの仲間うちではリンゴ小《ぐわ》でも通用した。赤熟した果実は食べられる。石灰岩地帯に生える常緑の低木で二月の雨水《うしー》のころ白い小花が咲く。花には芳香があり、ゴモジュをかぐと「もう春だなあ」と実感するのである。東京での学生時代、東中野坂上を夕方に歩いていて強烈な花の香りに出くわしたことがあった。家主の娘が「沈丁花も知らないの？」と笑われたことを思い出す。沈丁花は沖縄にはない花だから知るよしもないのだ。

中城城址公園入口の石垣ぞいにはゴモジュの垣根があって五月の遠足のころ赤い実が鈴なりになっている。この城主であった護佐丸もきっとゴモジュの芳しい香りに包まれたであろうと往時の姿がしのばれる。

護佐丸と同時代の勝連の阿麻和利や知花城の若按司が鎧や甲冑《かぶと》を着た姿がオモロで謡われている。当時京都や鎌倉と交易があったのである。刀剣などは按司たちの宝剣としての飾り刀で実戦に使用したのではない。沖縄芝居に武士たちが剣戟《けんげき》を闘わせるシーンがでてくるが、違和感どころか、時代考証としても誤っているのである。武士階級が存在しなかったし、大きな戦闘の歴史もなかった。沖縄では鉄器の生産はなかった。

子どものころ、村の綱引きの棒術で六尺棒と三尺棒で演じたが、むかしの武器は棒だったのだ。空手の棒は多く樫の木で作られている。芋をオーダー（麻袋）に入れてかつぐ棒も護身用の武器となった。

護佐丸やごもじゅの花の包みけり

イイギリの赤い実

いいぎりの朱き実の垂《た》る寒さかな　順

イイギリの木は高木の落葉樹で那覇近郊にはなく北部の国頭層に生える樹木である。イイギリが目立つのは冬の大寒のころ。落葉樹だから冬にはすっかり葉をおとして裸木状になる。枝先に房状の赤い実を垂れている姿は遠くからでも目につく。名護市植物園にはひときわ目立つ巨木があって初見の人にとって「この派手な木は何の木?」とまず驚く。圧倒されるほどの見事な眺めである。ついでに記せば、イイギリの木は九州などにも分布し、昔旅人が飯を包んだことに由来する。

沖縄の冬の時期に赤い実をつける木にクロガネモチがある。大宜味村大兼久のお嶽にはクロガネモチの大木があって赤い衣をまとったような姿である。能楽の「猩々《しょうじょう》」という舞いの赤い衣装が目に浮かぶ。沖縄の街路樹の筆頭にあげたい木であり、公園などに植樹したいものだ。

もう一つ、冬場に赤い実をつける植物にツル性のサルトリイバラがある。さきほどの名護市植物園の奥の丘陵地には五株ほどのサルトリイバラがあって赤い実をつけている。生花の花材にすれば、その枝ぶりの見事さに感嘆の声をあげるだろう。赤い実の姿も風情があるが、初夏のころ、新芽が風に揺れるさまは生命の息吹を感じさせてくれる。

生け花ついでに言えば、沖縄には花材にふさわしいシダ植物がたくさんある。大宜味村上原のティサガ森はシダの豊庫だ。

踊る　ブーゲンビレア

池原直樹「沖縄植物図鑑」によると、「ブーゲンビレアはブラジル原産のツル性花木で茎に刺があります。花は一年を通して開花しますが、晩秋から三月ごろまでが最盛期です」とある。

スマホを覗くと、出てくるわ出てくるわ、ブーゲンビレアの情報が満載である。とくにぼくの目をひいたのが沖縄在来種のサンデリアナ（和名イカダカズラ）は伊豆半島でも栽培されていることがわかった。

ぼくの庭にも四種類のブーゲンビレアがあるが咲く時期には遅速がある。紅花は夏から秋にかけて二階のベランダを飾るが、淡いピンクは新年から彼岸のころまで蝶々が群がるように咲き続ける。ブーゲンビレアは家出の常習犯で大鉢に植えていたら、いつの間にか逃げ出して裏庭中にはびこってヤマ切ッタ事があった。手入れが過ぎると、沖縄語の「葉ブッキ」状態になり、葉と小枝が繁って花を咲かせてくれない。地植えは禁止。鉢のみ。

ぼくが真和志高につとめていたころ校舎の玄関の二階ベランダに五、六鉢のブーゲンビレアが放置されていた。屋上だから誰も手入れできないでいたら春になってそよ風に踊る見事な花のブーケとなった。ブーゲンビレアは乾燥にも耐える強靭な花である。春先に那覇市壺屋から楚辺・泉崎の屋敷町を散策するとおもわず敬意を表して一礼したくなる艶やかなブーゲンビレアに出会う。

スマホに「ブーゲンビレアの花の名所は東南植物楽園」とある。なるほど。

第二章

沖縄点描

三重城《ミグシク》に登て

「三重城に登て　手さじ持上げれば　早船の習れや一目ど見ゆる」ご存知　琉舞「花風」の歌である。読んで字のとおり、わかりやすいから説明は不要であろう。

三重城は那覇市西の海岸にある城砦《じょうさい》であった。場所は那覇港と波之上の中間に位置する。現在はロワジールホテルの裏手にあって人目につかない拝所だ。城砦といっても大きな岩頭で周囲にはアコウの木が繋っている。数年前訪れた時は人影もなく、おびただしい平線香の燃えガラが散乱して、なにかしらわびしい風景となっていた。

琉舞の「上り口説」に「船のとも綱疾《と》く解くと船子いさみて真帆引けば風や真艫《とも》に午未《うまひつじ》」と歌われ、唐旅・大和旅へゆく旅人を見送った場所である。旅人を見送る人々が道をつらねて、さぞ賑やかであったろう。

「花風」はぼくの大好きな琉舞である。この踊りは美しい人が踊ることを期待されるので、永《なが》の別れの哀愁の中にも華のある踊りである。

入羽の踊りは述懐節《シュケー》で、「朝夕さも御側拝み馴れ初めて里や旅しめて　いきやし待ちゆが」と哀切をこめて踊る。番傘に手巾で腰を入れる所作は哀しくも美しい姿である。

ぼくの好みを言えば、容姿端麗のうえに、さらに悪びれずに申せば、腰がクビれていること。沖縄語でハチャーガマク（蜂のくびれ）であってほしいのである。ヨーンナ（はやし）

「花風」といえば、画家・与那覇朝大さんの絵を想い出す。

恋し渡地《ワタンジ》

宮良長包作曲に「泊り舟」という歌曲がある。作詞者は大浜信光。「渡地は雨だよ今日も泊り舟　ラララ　風見の旗が　ホイ　ちぎれるよ」。ぼくは宮良長包の歌曲の中でもこの「泊り舟」を口ずさんでいる。ところが渡地という場所はどこだろうと長年気になっていた。現在の那覇市には渡地という地番はないからである。

那覇の古地図を見ると、那覇東町の地先に渡地という地名がある。明治橋近くに渡地という小島があった。渡地は向かいの小禄村垣花の落平《ウティンダ》から水を運ぶ渡し場で山原舟や馬艦《マーラン》船も行き交い賑わっていたのである。

古地図には那覇港の通堂《トゥンドウ》　渡地　奥武山　落平があり漫湖の南側にはガーナー森もあった。饒波《のは》川川口の地先の豊見城城址から小禄のガジャンビラにかけての丘陵には筆掛山があり琉球赤松の疎林は美しいシルエットを見せていたのである。その後渡地は埋め立てられて東町と地続きになった。

沖縄の俚諺に「渡地の蟹小　ウッピ小の者のサナジ（ふんどし）かきて　ウリヤカンマク（大者）や　天井小のエンチュ（ネズミ）ウッピ小の者の髭《ヒジ》小　立てて」とある。このダジャレはぼくが中学生のころハルサーをして難儀困儀《ナンジクンジ》している時に亡き母がエールのつもりで投げかけたもの。また沖縄民謡「海ぬチンボーラー」に「辻のインド豆　仲島やトーフ豆　恋し渡地イフク豆」と謡われている。この豆はおそらく隠語だろう。そういえば池上永一「黙示録」にもこの渡地が登場する。

ホタルの歌

ホタルは方言でジンジンと言うが、南風原町ではジーナーと言っていた。松尾芭蕉に「草の葉を落つるより飛ぶ蛍哉」の俳句がある。幼い日の指からこぼれるホタルの光景である。

僕が生まれた南風原町兼城は黄金森との間に兼城川が流れていて、いたる所に（クムイ）があったから、小満芒種の頃は川沿いのアシの間や田芋の葉陰にホタルが飛び交っていた。

僕の本家は首里崎山町の馬場の隣で泡盛の造り酒屋であった。崎山町かいわいは年中泡盛の香ばしい匂いとカシゼー（酒かす）の匂いに包まれていた。休みの日など泊まりがけで出掛けるとホタル狩りを楽しんだ。

「ジンジン　ジンジン　酒屋の水喰わて　落てりよう　ジンジン　下がりよう　ジンジン」とはやしながら捕まえたものである。草の籠を作って遊ぶ子もいたが、僕たちはサツマイモのウムニーに二、三匹閉じ込めて遊んだ。卒業式には「蛍の光　窓の雪」と歌うが、今の子どもたちは「蛍の光」の原義を知らないで歌うのだろうか。

識名園近くにあるわが家には、梅雨の頃から一つ二つ三つなどと飛んでいる。江戸時代の中ごろに刊行された歌謡集「山家鳥虫歌」に「恋に焦がれて鳴く蝉よりも　鳴かぬ蛍が身を焦がす」という歌謡がある。御《グ》主様《スウヨウ》、遠い若き日の恋を思い出してごらん。ぼくも同じ。時代は変わっても永遠につづくよ　どこまでも。

わが家の竹林

京都は嵯峨野の美しい竹林・孟宗竹は中国から沖縄を経て渡ってきたという説があるが詳しいことはわからない。竹はどんな種類の竹でも好きである。琉歌に「肝《チム》ぬもてなしや竹のごと直《シグ》く義理の節々や中にこめて」という歌がある。心の持ちようは竹のように真っ直ぐでありたいという願望がこめられている。中国の晋《しん》の時代には「竹林の七賢」という故事もある。

さてわが家の竹林は玄関わきに植えた台湾竹が四〇年の年を経て裏庭まで遁走《とんそう》して繁っている。直径2㎝ほどの竹は二階のベランダを越すほどで、ゆうに5ｍの高さである。

スラっと伸びた竹は竹の中の竹、イケメン竹といえる美しい姿。この竹が三〇本もあるから竹林と呼んでも間違いではないだろう。造園業者も「これは立派な竹林ですよ。市内でも珍しい」とほめてくれた。しかし別の男は「なんだ、珍竹林か」とせせら嗤って帰っていった。通りすがりの老人が「ぜひ一本ください」と言って三本持ち帰っていた。

夏には涼を求めてゴザを敷き一炊の夢をみたいと横になったらヤブ蚊に襲われて興ざめしたこともあったが……。

この竹の利用法はたくさんある。二本束ねたら立派な物干し竿になるし、なんといっても毎年のゴーヤー棚づくりには欠かせない。五、六本もあれば見事なゴーヤー棚ができる。竹ボウキも作れるし、作ろうと思えばソーミナークー（籠）だって作れる。

若夏のころには竹の梢にメジロが巣づくりをしていて「いと　をかし」の境地にひたる。

小便小僧

亡くなった小説家・向田邦子に「独りを慎む」というエッセイがある。親元を離れてアパート暮しをはじめたら自分の日常の立居ふるまいが自堕落になったことに気づく。「フライパンから直かにソーセージをたべたり、下着姿のまま部屋中を歩くなどという行為をやらかした」のである。聡明な向田女子はおのれのだらしない行いに気づいて「独り慎む」と自戒をこめて語っている。

ぼくも向田女史と似たような経験がある。ぼくの家は狭いながらも一戸建てで前庭は車二台ほどのスペースがある。この小庭でサンダンカや野バラ、夏にはゴーヤーを三株ほど植えて毎日のように庭いじりをしている。ところが咽頭ガンを患って以来歩行が困難になって杖をついて庭に出るようになった。屋内のトイレの出入りが面倒臭くなり、まわりがブロック塀で目隠しになっているのを幸いについ花壇に向って放尿をいたすのである。誰にもバレないぞと思っていたら鼻の敏感な長女がやってきてキツイお叱りをうけることになる。

　育ちがよくないと言われたらそれまでのことだが小便小僧のように一滴もあまさずの行為を終えたときの爽快感は男子の本懐と言いたくなるほどである。若いころヤンバルの山中をかけめぐり、見晴らしのいい丘の上から太平洋をながめながらの行為が懐かしく思い出される。

　しかし八〇歳を過ぎてからのボクちゃんは排泄機能までおとろえて、亀さんの冬ごもりの首のようで、うらさびしいかぎりだ。

白い穂波

宏壮なシティホテルの屋上ガーデンにつづく喫茶室で達也は女友達の由香里が来るのをのんびりと待っていた。

庭園のブーゲンビレアの垣根の向こうにチガヤの白い穂波が風に揺れている。このチガヤの白い穂波を見ていると、長い暑苦しい沖縄の夏がようやく終りを告げ、短い秋がやってきたことを知らせてくれる。そういえば去年もこの喫茶室でチガヤの白い穂波を見た記憶がよみがえってきた。ふたりにとっても踏ん切りのつかない間のびしたような一年だったと思う。

その時、由香里がヒールの音を立てて近づいてきた。

「待った？　ゴメン」

由香里は右手で拝むような仕草で向いの椅子にチョコンと腰をかけた。「あら、チガヤの白い穂波よ」。由香里は立ちあがって庭園の方をみつめている。沖縄の花に興味のある由香里がチガヤについて講釈したのをおぼえている。沖縄の昔のカヤブチ家はこのチガヤでふいたのだと。チガヤは春と秋の彼岸のころ二度咲くことを教えた。

由香里が小学生のころ漫湖沿いの病院に父の見舞いに行ったときも、そして三年後ガンで再入院したときも丘の上の大病院の道沿いに白いチガヤを見たのだった。

父が入退院をくりかえしていたので、由香里は決断を伝えることができなかった。風にゆれるチガヤを見つめながら「わたしも強くならなくちゃ」。由香里は立ちあがって達也に手をさしのべた。

マンボウ沖縄へ行く

北杜夫《もりお》の「どくとるマンボウ昆虫記」はおもしろい。北杜夫ワールドの独特のユーモアはエッセイの楽しみを広げてくれた。

かつて作家の椎名誠は「活字のサーカス」（岩波新書）の中で北杜夫の文体のユニークさが誇張にあることを指摘している。なるほど初期の「どくとるマンボウ航海記」のおもしろさも事物の絶妙な比喩にあることがわかる。さて　この昆虫記の中には「マンボウ沖縄へ行く」のタイトルで八重山での昆虫採集の様子がおもしろく描かれている。石垣市内のそれなりに立派なホテルに宿ることになったが、折から蛇皮線の音が聞えてきて旅情がかきたてられる。「ところが時間がたつにつれてそこらじゅうから蛇皮線の音がわきあがってきた。一体に沖縄ではバーでもなんでも実に夜おそく始まる。暑すぎて十時を過ぎなければ夜という気分がしないのだろう。初めは詩情豊かと思っていた蛇皮線は夜のふけるにつれ、実に数限りなく実に強圧的であった」とおそれをなし、あきれかえっている。この文を読んでいると「マンボウ先生　ごめんなさい」と謝りたくなった。

このあとマンボウ先生は於茂登岳の麓のジャングルに分け入って蝶を追いかけ、採集用のアミをふりかざして汗まみれになる姿はユーモラス。ジャングルから出ると、黒人そっくりのアイスキャンディー屋さんに出くわして肝をつぶすのである。

ちなみに北杜夫の父君は昭和の大歌人・謹厳な歌風で知られる斎藤茂吉である。

イソップ物語がはじまるよ

正月早々（二〇二〇）ブッソウな事件の勃発である。アメリカのトランプ大統領がイラクのバグダッドにいたイラン国の軍司令官を殺害したのである。テレビは「第三次世界大戦か」と伝えているのを見て、ぼくは魂ヌギたのである。その殺害理由とは「このイランの軍司令官はアメリカ大使館に大きな危害を加えようと計画していたから」と言い放った。殺害の根拠・証拠を明示しないで、いきなり殺したのである。さいわいアメリカ国防省内にも異論があって戦争にならずに済んだが、これは明らかにトランプ大統領の蛮行であった。なぜって「あいつはぼくを殺そうとしていたから、その前に殺したのさあ」と言うのだから、まるでヤクザのインネン。おたくの西部劇のナラズ者の論法だ。法律用語でこれを「未必の故意」と称するらしい。

だからといってぼくはイランの核にも反対。被爆国日本の悲願　核廃絶あるのみ。

この事件を見て、ぼくはギリシャのイソップ物語を思い出したのである。

イソップ物語に「猫と鶏」という話がある。猫が雄鶏をつかまえて「もっともらしい理屈をつけて食ってやらう」と企てた。「夜中に時を作り安眠妨害をするから人間にとって迷惑だ」「おまえは誰かれなしに交わって卵をうむが、それは自然の掟に背くものだ」と。言うことがなくなった猫の奴、「おまえがいつでも言い訳に困らないからといって俺におまえを食わぬとは思うな」おどしをかける始末。「邪《よこしま》を好む悪しき性分はたとえもっともらしい口実がなくても　あからさまに悪事をなす」という教訓であった。イソップさん　よくぞ言ってくれた。ありがとう。

町の時計屋さん

明治の風流人・久保田万太郎に「時計屋の時計春の夜どれがほんと」というしゃれた句がある。春の夜の時計は勝手に時を刻んでいて、修理に夢中になっている主人に一声かけて、からかってみたくなる。どれが正確なのさ。時計の遅速が笑いをさそう。

ぼくが七〇年代はじめ那覇市内の高校に勤めていたころ、開南バス停から新栄通りを下りて平和通りに出、国際通りまでには数軒の時計屋があった。クラスの生徒にH君という利発な少年がいた。彼は時計屋の息子で一級時計師の父を尊敬していた。「先生の時計遅れているよ、修理しましょう」と数日後に「ほらこの通り正確に刻んでいますよ。バンドもゆるんでいたので新しいのに取り替えました」と。

数年後、彼に会ったとき、H君の時計屋は店閉まいして不動産屋の手に渡ったことを知った。ケータイの急激な普及は街から弱小の時計屋を駆逐してしまったのだ。時計屋と同じように写真屋さん、マチヤグヮーがあっという間に消えてしまった。

新聞は、全国展開のマンモススーパーの開店を報じる。全島いたるところに展開するマンモススーパーや大型量販店。もうかるから進出するわけで、いずれ弱小の島内産のスーパーは消える運命にあるのだろう。ぼくのいとこの写真屋は大臣表彰を受けるほどの立派な腕前だったが、つぶれた。近くの金物屋さんが消え、シーブンで評判の鮮魚店が店閉まいした。

鼻毛をぬく

「お父さん　指で鼻毛をぬくのだけはやめて」と叱られつづけてきたが、いまだにこの悪癖は直らないでいる。鼻毛カッターを貰ってもすぐに毀《こわ》れて役に立たない。指で鼻毛をぬくと、きっとクシャミがでて、しばらくは鼻水がとまらない。それでもつい鼻毛をぬく。何年も慢性鼻炎に悩まされているのはそのせいかもしれん。いったいわが友人たちはどういう鼻毛処理を考案し実践これつとめているのか恥ずかしくて今さら聞けないでいる。

高校教師を退職したら過度の飲酒がたたって食道ガンになった。さいわい琉大病院の小川教授の放射線治療で完治することができた。その後数年間　腸捻転やあれやこれやの病気をわずらい心身ともに疲れはてた夜、「残寒や死ぬ時思うて鼻毛ぬく」の句を得た。そばで見ていた妻が「縁起でもないわ」と原稿用紙を丸めてチリ箱に捨てた。たしかに鼻水をたらしながら背を丸めてうずくまっている姿はシャレにもならない。いま五年ぶりに元気を回復してみると我ながら忸怩《じくじ》たる思いにかられる。

夏目漱石の「吾輩は猫である」（三）に、苦沙弥《くしゃみ》先生が妻君の前で鼻毛をぬきながら「一寸《ちょっと》見ろ　鼻毛の白髪だ」と「大いに感動」する場面がある。さすがに漱石先生の文章はユーモアにあふれ愛嬌がある。この作品はページをめくるごとにユーモアやシャレ、機智が隠されていて、それを見つけたときの発見の喜びがある。

オー　マイ　パパイヤ

識名園の隣に移り住んだとき、友人からパパイヤの苗木をもらった。ブランド名は「バルドー」。女優のブリジッド・バルドーと関係があるらしい。このバルドーさん、半年も待たずに四〇個ほどの立派な果実をつけた。

ある時、空缶収集の老夫婦が通りかかって褒めちぎるので一個もいで老人に渡した。傍の老婆が「アイエナ　私も二個ぶらさげているのにもう一個はシーブンで　ちょうだい」という。すると老人は「ウチのはナーベーラーみたいなもので……」と大笑いしながらリヤカーをおして帰って行った。郵便配達人にもあげたら白い乳液で制服を汚したのはご愛嬌であった。

昨年　長女が「洛陽」という銘柄のパパイヤの苗をプレゼントしてくれた。このパパイヤも五〇個ほどの見事な実をつけた。洛陽といえば中国の唐時代の都。詩人・白楽天が玄宗皇帝と楊貴妃をうたった「長恨歌」はあまりにも有名。「洛陽」と楊貴妃は何か由来でもあるのだろうか。あらためて比翼連理の夫婦愛をうたった「長恨歌」を読んだ。

パパイヤは黄味を帯びたら捥いで二、三日おくと黄熟する。ガラスの器にパパイヤを盛ってレモン汁をかけると香りといい味といいフルーツ界の女王様だ。さいきん発見したことがある。レモンの代わりに大宜味村産のシークヮーサー汁をかけると、またいっそう風味が増して美味である。あればパパイヤにビターチョコとミントの葉を添える。

さあ　どうぞ。

I am a sweet tooth.*

＊ハリー杉山の「くだらないけど役に立つ英語。「甘党」のこと。

俳句ブームの功罪

いまや世の中は俳句ブーム。日本中で三〇〇万の俳句愛好者が日々作句に励んでいて、その句数は数知れず、俳句集の自費出版も盛況を呈しているようだ。言葉は悪いが猫も杓子の様相である。

テレビのゴールデンタイムで「プレバト」と銘うって多くの芸能人が勢ぞろいする賑やかさ。夏井女史の歯に衣着せぬ鋭い毒舌ぶりに視聴者は喝采をおくり、アッケにとられる。俳句には優劣をつけ、永世名人・特待生・凡人・才能アリ・才能ナシと序列をつける。自作の俳句をけなされると大声でわめき、怒ったり嘆いたりと、いやはやその雰囲気は騒々しく、かまびすしい。俳句がゲーム感覚で詠まれているのである。

でも　待てよ。ぼくも俳句をつくる人間だから当初は興味深く視聴していたのであるが、しばらくたって頭をかしげることが多くなり視聴をやめた。ある違和感は次第に増幅して、やがて深いミゾができたのだ。

俳句は世界に誇る日本の短詩形の文学、わずか五七五の文字の中に大宇宙の深奥をのぞくことができる。すばらしい詩である。俳句の成り立ちを考えれば、俳句をつくる作業の前に先人たちのすぐれた俳句の鑑賞から始めるべきである。松尾芭蕉のわびやさびの幽玄の境地、与謝蕪村の絵のような軽快さ、小林一茶の飄逸《ひょういつ》の世界を鑑賞することによって、おのれの美意識を磨くことが大事だ。皆ながみな俳句名人になる必要はない。より高くより深く極めれば、きっとあなたの美の感性は豊かになる。俳句は心安らかな静謐《せいひつ》な中で生まれる。

先達はあらまほし

兼好法師の「徒然草」に「少しのことにも先達はあらまほしきことなり」という文章がある。どんなことでもその道の専門家・指導者・案内人は必要だと説いているのである。

ぼくは長年　国頭から島尻の海岸、伊江島、久米島、宮古、八重山の山野や海岸を歩いてきて危険な目に遭遇したことが幾度もある。与那覇岳ではハブ公を踏んづけて、アワヤと跳んだ。さいわいにもハブ公がネズミを飲みこんだ直後で咬まれずに済んだ。八重山石垣島の於茂登の山頂で吸血鬼の蛭《ひる》に足のつけ根やクルブシを咬まれた。指で強引に引っぱがしたら血管がやぶけて夜まで血が止まらなかった。石垣市の診療所で蛭に咬まれた時の処置の方法を教えられ、おのれの無知なことに自ら腹をたてたものである。

国頭村安波では仲間の忠告を聞かずに泳いでいたら突然首筋から腹部、股間まで激痛が走った。あわてて浜にあがって調べると、毒性の強いハブクラゲで赤い点々が無数に走っていた。腹部の痛みは我慢できたが股間のボクちゃんはスッポンが首をちぢめているように痛みが止まらない。これも村の診療所で事なきを得た。「海岸の立看板を見なさい」と注意を受けた。

またある時、名護市の突堤でカーエー釣りをしていたら手のひら大のカーエーを釣りあげた。カーエーの毒性は知っていたが、釣針をはずすわずかな隙に左手をさされた。その激痛は生まれてはじめての痛さ。心臓がドッキンドッキンでこのまま死んでしまうのではと苦しんだ。その時も近くの老釣師に助けられた。海や山を侮《あなど》るべからず。これはぼくの自戒のことば。

遺骨収集顛末記《てんまつき》

一九五二年　ぼくは首里高二年生であった。南部戦跡・摩文仁で遺骨収集するから希望者は首里高裏の玉陵前に集合せよ、とのこと。ぼくは父が糸満市新垣で戦死しているので参加することにした。男子生徒二〇名ほどで米軍払い下げのトラックの荷台に乗って行った。たしか引率者は波之上宮宮司の名幸芳章師という人であった。

お昼ごろ摩文仁丘の崖下の健児之塔で説明を受け麻袋《カシカー》をもってアダンの林の中で遺骨収集をはじめた。海岸沿いのアダンの林は戦火をあびて焼けこげており、この地は二度目の収集を終っていたが頭蓋骨はないものの足や手の骨が散らばっていた。大和名字の印鑑がある。穴のあいた水筒がある。身体がだるくなる。波の音が死者たちの呻き声のように聞えた。

午後三時　上の広場まで麻袋の遺骨をかつぎあげて登ると、麻袋におびただしい数の銀蠅がはりついてきた。

広場で腰をおろしている者はみんな無口でおし黙ったままの放心状態であった。沖を眺めると慶良間の島々がうす黒く横たわり、春近い靄《もや》がたちこめていた。海は夕映えに照り映えて静かだった。二つの小舟が右に左に走りイルカを追っている様子だった。

夕刻に首里高に帰ってきた。遺骨の死臭の滲みたシャツは翌日まで残っていた。その後二度目の遺骨収集の呼びかけがあったが、ぼくは行かなかった。あの日の胸をつきあげる嘔吐感に耐えられなかったからである。戦争の悲惨さは消すことのできないほど肌に染みていた。

さらば　お米　オンチ

日本のお米はおいしい。近年は新潟県のコシヒカリをはじめ宮城県、熊本県のブランド米がそのおいしさを競ってきたが現今では全国すべての都道府県でおいしい米が食べられる。

ところが、沖縄県の米の生産量は微々たるものでおいしい米を食べる習慣がなかった。戦後アメリカ米やタイ米にありつくことができたが、総じて米のおいしさを知らずに育ってきた。白米であれば芋食よりはましと思っていたのである。長い間、おいしい米を知らずに育ってきたといってよい。

新潟の知人は年一回、コシヒカリの新米を航空便で届けてくれるが、そのおいしさたるや少ない字数では表現できない。ある時、この新潟の知人が沖縄では幌《ほろ》をかぶせたトラックで米を運ぶと聞いて悲しい顔を見せたことがあった。幌で覆われると蒸した状態になり、炊き上げると、米は死んでパサパサになる。ぼくはパサパサをモチ米でごまかすが不満は残る。だから新潟の農家では米を貯蔵するのに保冷庫を完備するという。むかし千葉県の九十九里浜の大原町で転地療養をしたことがあった。稲刈りを手伝った後の新米のおいしかったことを思い出す。

「米という字を見てごらん。八十八の作業があるんだぞ。感謝して食べなくちゃ」（阿刀田高著書「ことば遊びの楽しみ」）

沖縄人よ。米に目覚めよ。「お米命」というほどに。愛をこめて。

エイサーの季節

一九七〇年のはじめ、今から四〇年も前の話。友人に誘われて旧コザ市で開催されるエイサー大会を観て以来、すっかりヤミつきになって妻と一緒にエイサーを楽しんだ。当時那覇からの見物客は少なく、市営球場の会場の路地に不法駐車しても、なんのおとがめもなかったのである。

なんといっても　うるま市平敷屋や平安名の古典エイサーがすばらしく、質素な衣裳と躍動感あふれる演技は圧巻であった。しかし何年か経つうちに、他の町や村のエイサーに甲乙つけるのは良くないことに気づいた。もともとエイサーの本場は中頭地方のものだが今では島尻や国頭、宮古島、八重山まで全県的な集団舞踊にまで発展しているのだ。

現に、ぼくが知念高校に勤めていた時に学園祭でエイサーをすることになり、うるま市の青年団から指導を受けた。また息子は琉球大学でエイサー隊をたちあげ大学祭で見事な演舞を披露してくれたのを見て誇らしく思ったものである。

いまや沖縄のエイサーは北海道のソーラン、土佐の高知のヨサコイとともに全国区になった。沖縄エイサーは沖縄の魂の表現であり、沖縄人の強さ、明るさ、しぶとさを表している。

毎年、糸満ハーレー鉦が鳴り旧盆が近づくと、エイサー稽古の太鼓の音がひびいてくる。

もう一度くりかえして言えば、沖縄のエイサーは祖霊への鎮魂の祈りであるとともに、次なる夜明けへのふつふつとたぎる飛躍の誓いである。

虹の話

先日、テレビの俳句講座をのぞいていたら、お題「虹」で多くの俳句が講釈されていた。世はまさに俳句ブームで、夜のゴールデンタイムの評者の毒舌先生が評判を呼んでいる。僕は俳句には奥手で、あの騒々しさにはついていけないが。

沖縄語で虹は「ヌージ」という。角川書店「俳句歳時記　夏」では、「雨あがりに日光が空中の雨滴にあたって屈折反射し、太陽と反対側に七色の光りの弧が現れる現象」とある。句集から拾い集めたものだけでも三〇〇首以上の句があるそうな。

俳句を習い始めたころ、「虹立ちて今日も佳きことあるごとし」という句を作ったら、「父ちゃん、その句どこかで読んだ覚えがある」と言われた。カブトを脱いで自句集から削除したことがあった。

「虹」は「虹色の恋」などという言葉があるように、幸福感が湧いてくる言葉である。朝虹は雨の前兆、夕虹は晴れの前兆といわれる。亜熱帯の島、沖縄のヌージはひときわ鮮やかで赤、橙、黄、緑、青、藍、紫の色が美しい。虹の記憶の中では岩鼻に立ち虹に向って祈りをささげる女人のシルエットが目に焼き付いている。

津田清子という人に「虹二重神も恋愛したまへり」の句がある。一瞬脳天にパンチを食らって目まいを起こしたほど。この大胆さ、おおらかさは男性の発想にはない。

啐啄《そったく》同時

一九五三年、ぼくが首里高三年生の時の校長は阿波根朝松先生であった。「琉歌古語辞典」の著者で国文学者だったから朝礼の訓話も含蓄に富むものであった。その一つは西行法師の和歌「年たけて又越ゆべしと思ひきや命なりけり小夜の中山」である。その歌意は「こうして再び小夜の山中を越えることができたのも命があったればこそ」。生命ある喜び、生命の大切さを歌ったものである。いま七〇年の歳月を閲《けみ》しても、この歌は心に染みて若者の心を引き付けたのである。

夏休み明けに大きな台風があって、担任の仲吉朝佑先生から校長宅の塀が倒れているので修繕してくれないかと呼び掛けがあった。四、五人の生徒が首里儀保町に出掛けて建て直した。

それは尊敬の念のごく自然な行為であった。教えを受ける者が、相手のご機嫌をうかがう忖度《そんたく》とは全く次元を異にした師弟の交わりであった。

禅宗の教えの中に、「啐啄《そったく》同時」という言葉がある。鶏卵内のひなの鳴き声に呼応して親鶏が殻をつついてひなを誕生させることを意味する。つまり教える者と教えを受ける者の呼吸がピタリと合うことである。

しかし現実は「言うはやすくして行うは難し」である。かつて教師であった僕は、自らの実践を振り返って多くの後悔を数えている。教わる者の琴線に触れ感動を与えるには、教師が日々研さんを積んで、己を磨くことだろう。

なぜ高校生の時の校長訓話をおぼえているかって？　それは阿波根校長を心から尊敬していたから……。

ンナドゥ考

江戸時代の俳人・服部嵐雪《はっとりらんせつ》に「文《ふみ》もなく口上《こうじょう》もなし粽《ちまき》五把《わ》」という俳句がある。この句からある情景が浮んだ。ある日の昼さがり、中年の男がムトゥビレーの彼女を訪ねてきたが不在の様子。しばらく家のたたずまいを眺めていた彼は台所の出窓に洗いたての俎板《まないた》を見つける。彼は笑みをたたえて肯《うなず》き軒下にムーチーをつるして帰っていった。

沖縄方言で「ンナドゥ」は「何ももたないさま。手ぶら」を意味する。おもに他家を訪ねるときに「ンナドゥ」の出番となる。沖縄では他家を訪ねる際には、なにがしかのチト（手みやげ）をもっていくことが習わしとなっている。農家であればゴーヤーやナーベーラー。屋敷のシークヮーサーでもバンシルーの一箇でいい。町方ならタンナフクルーやハチャグムの一袋もあればよい。肝心なことは手土産の高価さではなく、あなたの肝心を形にあらわせることである。

親戚のオバアの家へ出かけたとする。手土産なしに行くと「イエー　亀寿《かめじゅ》よ　ンナドゥで来たの　ナサランチネーではあるまい」と苦言がとびだすこともある。ナサランチネーとは経済的に困窮している状態。

通常これはありえない話だがンナドゥで訪ねるのは相当の勇気がいる。ひけ目をおぼえなければばならない。しかし無い袖は振れない。たとえンナドゥでもオバアのご機嫌うかがいに出かけていって、のび放題になっている仏桑花の垣根を剪定してあげる。これこそ心はンナドゥではない証拠。沖縄の肝美《チムチュラ》さである。

馬盗人《ヌスド》

首里の鳥小堀《トウンジュムイ》の下城（仮名）という青年は親の言うことも聞かない無法者であった。困り果てた両親と親戚の者たちは懲らしめのため宮古島に流刑にしてくださいと平等所《ヒラジュ》（裁判所）に訴え出た。平等所で下城青年を取り調べると余罪も発覚してしまった。下城青年はかつて馬泥棒であり、銀簪《かんざし》を盗んでいたのである。事情聴取では「私はかねて百姓仕事をしていたが仕事が嫌いでした。親に逆らって家出し方々の知人の所で働いていたが、ふと欲心をおこして上江洲里之子《さとぬし》が飼っている牝《めす》馬一頭を盗んで、東風平間切当銘村仲美栄地小という知り合いの人の家に行き、「この馬は役に立たないから」と屠《と》殺《さつ》して肉を売りさばいたとのことである。馬は盗んだが銀簪は盗んでいないと一部否認したのである。

判決の結果は「サムレー（士族）でありながら欲心をおこし節操のない行為である」と断じて訴え通り宮古島に流刑されることになった。「浜の真砂は尽きるとも世に盗人の尽きることなし」と大見得を切るのは歌舞伎十八番「白波五人男」の名セリフ。沖縄のむかしの犯罪を記録した比嘉春潮・崎浜秀明「沖縄の犯科帳」には鶏盗人、山羊盗人の記録もある。悪事は千里を走るという。天の網は広くてあらいが悪人をとりにがすことはないという諺「天網恢恢《てんもうかいかい》疎《そ》にして漏《も》らさず」を思い出した。

それにしても馬盗人の流刑地が宮古島であったとは。これはまさに宮古島の人びとにとっては大迷惑な話であった。

イカの墨汁

今は亡き古波蔵保好さんは、かつて中央紙で活躍したジャーナリストでしたがエッセイストとしても知られていた。料理関係の本もたくさんあってグルメとしても一家をなしていた人物であった。

彼の「ステーキの焼き加減」を読んでいると東京はもちろんヨーロッパなど超一流のレストランの話が楽しく語られている。この本の中で興味をそそられたのはイカの墨汁の話である。むかしから沖縄ではイカの墨汁が食されているが、イタリア料理では主としてスパゲッティとして食されている話。

ぼくもこのイカの墨汁が好物で糸満市喜屋武漁港で釣ってきて、自分でサバいて料っていた。料理法は簡単で豚三枚肉を薄切りにして煮、イカが固くならないうちに、さっと煮立て、イカ墨とニガナを入れて仕上げる。イカの墨汁はグロテスクな感じもあって、けして上品な食べ物ではないが命薬と言っていい、

イカ墨汁の炊き合わせにはニガナが定番であるが、サクナ（長命草）も相性がよい。このサクナは薬草の筆頭にあげられているスグリモノである。てんぷらやサラダにもいける。わが庭のサクナも新芽を摘んで刺身にそえて重宝している。さらにイカ墨汁にはもう一つイーチョーバーもおいしい。和名は茴香《ういきょう》と書いて独特の香りと味があり、苦手とする人も多いが食べ慣れるとクセになる薬草である。古波蔵保好さんは中年の魅力いっぱいの紳士であった。ダンディを絵に描いたような。

続　姥捨て伝説

生命保険のＣＭで「八〇歳まで」は加入できますと朝から晩までくり返し流れていますねえ。ぼくはこのＣＭを見ると心淋しいというか憂鬱感にとらわれます。よくもまあ「八〇歳まで」と限定して加入を呼びかけることよ。

ぼくは今年で八七歳。この保険の枠組みから七歳もオーバーしているわけです。生命保険の仕組みは加入者にも恩恵を与えるが会社もガッチリ儲けさせていただきますということですよね。「八〇歳」が統計的に採算のとれるギリギリのラインということです。

世は百歳時代といわれるが「八〇歳」以上の老人は保険の対象外ですからねえ。そのつもりで「ドゥ　アガチしてくださいよ」と命じられているわけです。

一九六〇年代、小説家の深沢七郎の「楢山節考」が世に出ました。映画にもなったのでご覧になった方もいらっしゃるでしょう。姥捨伝説を映画化して評判をよびました。むかし　山梨県あたりでは七〇歳になるとお山の峰に捨てる風習がありました。捨てる方も捨てられる方もみんな覚悟ができているわけです。倅《せがれ》は老いた父や母を背負って出かけます。

「おっかあ　雪が降ってきたよ」

「おっかあ　寒いだろうな」

倅はいまはヤセほそった老婆を背負って歌います。「おとっちゃん出て見ろ　枯木や繁る　行かざあなるまい　ショコしょって」

閑話休題、ぼくは日本が軍備増強する夢をみました。島の崖から老爺や老婆たちが海にこぼれ落ちていく……。早くセーフティーネットを。

生きづらい世の中で

世の中が生き苦しくなってきた。学術会議の一つをとってみても 学問の自由がおびやかされていることを肌で感ずるからである。生き苦しさは日本中で蔓延《まんえん》しているのだ。さしずめ草木なら水分が足りず葉が枯れはじめる。水槽の中の魚たちならばアップアップの酸欠状態だ。日本一貧しい沖縄では二重三重に息苦しさがある。

夏目漱石は「草枕」の中で「智に働けば角が立つ。情に棹《さお》させば流される。意地を通せば窮屈だ。とかくに人の世は住みにくい」と書いている。

ぼくは来年は八七歳のトーカチをむかえる。すでに身体はあらゆる部位で劣化している。だから世間の義理を欠き恥をかきつつ生きている。

小説家の阿刀田高の短編小説「アンブラッセ」に次のような狂歌が紹介されている。

「世の中は　さよう　いかにも　ごもっとも　そうでござるか　しかと存ぜぬ」とある。これを沖縄語に変換すると「とううりやさ　やさやー　なるふど　あんどやてぃわんねーむる知らんしが」となる。この五つをうまく使えば人間関係は波風も立たず、うまくいきますよと言うのである。

この歌には高邁《こうまい》な人生哲学はないが庶民の生き方をすっきりと言いあてている。でもね、基地の島沖縄での生き方はもっと複雑で心労が多い。保守化の同調圧力が強まって「YES」よりも「NO！」の生き方が求められる。

春雨じゃ

「春雨じゃ濡れて行こう」と大見得《おおみえ》をきるのは新国劇の月形《つきかた》半平太のセリフ。

春雨は命あるもののエネルギーが徐々に満ちあふれてくるような温もりの気配をおぼえるものだ。ある俳人は音曲の歌うようにという気持をこめて「カンタービレの春の雨」と表現している。

沖縄の春雨は二十四節気の二月中旬の雨水《ウシイ》のころからはじまる。識名園の高台から南風原・豊見城・南城市の丘陵を眺めると春霞につつまれている。春雨はしぶるようにしとしとと降る。庭の木の葉のしずくが満を持して雨つぶとなって落ちる。この時期、農家では小雨に濡れながら黙々とキビ刈をする。琉歌には春風を詠んだ歌はたくさんあるが春雨には詩趣を感じなかったようで春雨を詠んだ歌はない。

春雨といえば、ぼくには忘れがたい風景がある。若いときに訪れた奈良県の奈良坂の春雨にぬれた石の仏である。

会津八一に「ならさかの　いしのほとけのおとがひに　こさめ　ながるる　はるはきにけり」という歌がある。ぼくが現実に眼にしたものは暑い盛りであったにもかかわらず、八十余年の年を重ねると春の雨になっているのである。それは古寺の写真家・土門《どもん》拳《けん》の世界と混ざり合っているからであろう。それは幽暗の中で分別がつかない。奈良の古寺の仏たちが次から次へと現われてくる。会津八一の歌はぼくの心にしみじみにと染みこんでくる。

大寿《たいじゅ》考

新聞の死亡広告に「天寿を全うし――」という遺族の言葉がある。天寿とは神様から授かった命という意味であるが何歳から天寿というのかは辞書にも記されていない。通常は九〇歳以上に贈られているようだ。

ぼくも今年で八七歳になるが、もしもの時は「同級生代表として名をつらねよう」と互いに固い約束をかわしあった友人もはやばやと黄泉の国へ旅立って約束をホゴにされてしまった。人間はその時を選ぶことができないから煩悩から逃れることができないでいる。

天寿が九〇歳以上であるとするなら、せっかく九〇歳近くまで生きても何の称号も与えられないのは少しばかり侘しい。九〇歳に近い八八歳は米寿というが、この米寿は生きている人間の長寿をことほぐお祝いの言葉で享年米寿などとは使わない。

そこでぼくは考えた。八五歳を超え九〇歳には届かないことも十分有りうることである。享年八七歳では少し物足りない気持ちになる。天寿まであと二、三年。しかし届くのは無理かもしれない。だったら天寿から棒線一本を抜いて大寿という称号が作れる。ほれ九九歳の人を百から一本抜いて白寿というではないか。その理屈と同じですよ。

新語を造って辞典に載せてくれと言うのではない。このユーモアをわかってくれた人にだけ使用を認めよう。朝起きて新聞の死亡欄を見る時は厳粛な気持になるが、「大寿」とあれば苦スっと笑みもこぼれるはず。八五歳以上は神様のシーブンだから誉めてあげよう。

ジョーク　ジョーグ

「喜舎場君ハ　ジンベエザメヨリモ　オトナシイデス　ナゼナラ　ホエルコトガデキマセンカラ」

本人は立派なジョークのつもりである。しかし読者にしてみれば「何のこっちゃ」とアサッテの方向を向かわれるのがオチだろう。

ジョークが成り立つにはＴＰＯが必須条件となる。この場合「ジンベエザメ」が何を意味しているかといえば喜舎場君は夏場にはユニクロのジンベエザメのＴシャツを愛用していることがわかっていただけなければならない。クジラはホエールで「吠える」ものだが喜舎場君は五年前に咽頭ガンを患らい、今では喉に十円玉ほどの穴があいてシャベルことができない。また喜舎場君の若い時はずいぶん猛者《もさ》だったことを知っていなければ現在のオトナしい彼を想像できないだろう。右の諸条件を熟知してはじめて笑いが生まれる。現にデイケアの仲間たちは笑ってくれたのである。ハハ　ヒヒ　フフ　へへホホと。

喜舎場君はいつも白いボードを首にぶらさげている。ジョークを思いついたら　すぐに短文にまとめて披露するのだが百に一つも笑ってもらえないもどかしさがある。ボードの中の笑いを説明しているうちに笑いが消えて片口笑いとなってしまう。

先日も「かつての一号線もぼくと同じように年をとって五八号となったもんだ」と書いたら「おじいちゃん　それってジョークのつもり?」ときた。相手を間違えた。

かりゆしウエア　ナウ

この十数年、クールビズの思潮は奔流となり、かりゆしウエアは多くの県民が愛用するようになった。かりゆしウエアはカジュアルだから解放的気分を表している。ところが最近気になることがいくつかある。今やかりゆしウエアは高級化が進み多種多様なデザインがあふれているが、その値段も異常なほど高くなっているらしい。ぼくは沖縄そばを八〇〇円で食べようとしないのと同じように、かりゆしに六千円以上も支出して購入しようとは思わない。一万円もするかりゆしはべらぼうと言ってよい。ぼくたち年金族には高額なお金であがなう余裕などない。通販で四千円も出せばシックな柄の半袖シャツを手にすることができるからだ。

某テレビ局のアナウンサーのかりゆしは洗練されたセンスで好感が持てるが、ある局のそれはデザインが画一的でいまいち。お仕着せの感じがする。

かりゆしは開放的で親和性に富むが、反面厳粛さや重厚さに欠けるところがある。今は公の場では冷房が完備しているから、かりゆしだけではどうもという感じがする。フォーマルな装いとして、かりゆしだけでは軽すぎるのではないか。かりゆしの上から沖縄風の上品な上着を羽織ったらかっこいいと思うのだ。

かりゆしはもっと洗練されたセンスのデザインでありたい。沖縄人は皆一家言あるはず。これがかりゆしウエア談義の口火ともなれば……。

あっぱれ　上り口説《ヌブイクドチ》

琉舞の二才踊り「上り口説」は琉球王府が薩摩の支配下にあった時、首里から鹿児島の山川港までの船旅の様子を口説形式にして詠みこんだ舞踊である。

黒い紋付き衣装と白鉢巻、脚絆《きゃはん》の姿は軽快なテンポとメリハリがきいて晴れやかである。南の島国沖縄からの唐旅・大和旅は旅人たちにとって死を覚悟するほどの一大事業であったから、首里王府の役人たちの旅立ちには前夜から一族郎党が集まって旅グェーナを踊って旅の安全を祈願したのである。

「上り口説」ではまず観音堂の千手観音様に旅の安全を祈り、多くの町人が見送りの列をつくった。坂下《サカシチャ》の大道《ウフドウ》を通ると右手の真嘉比の森には琉球赤松の疎林が見え、安里八幡崇元寺の手前から久茂地に向かい、新しく架けられた美栄地高橋を渡って西門《ニシンジョウ》に出る。沖の寺で親子兄弟が涙の別れを告げる。那覇の港から順風満帆の船が出ると一族郎党は三重城に登って船影が消えるまで手巾《テサジ》をかかげ続ける。船足は速く、残波岬を右に見て、この船旅の一番の難所といわれる七島渡中《トウナカ》を無事に乗り越える。明くれば船の舳《へ》先に開聞岳がそびえ立ち、富士に見まがうほどの桜島の煙がのぼり立つのが見える。船旅一行はこうして無事に山川港に入港することができた。

「上り口説」は名所旧跡を的確かつ鮮やかに詠んだ絵画性に富んだ舞踊となっている。この作詞者は真嘉比ナニガシといわれているが、なにはともあれ、この作詞者の表現力はすばらしい。沖縄人なら全部を暗誦したいものだ。

夢十夜

夏目漱石の「夢十夜」を読んでいると、モーツァルトを思い出す。漱石とモーツァルトとは何の関連もないはずだが、ぼくの頭の中では交響曲41番「ジュピター」が響きあうのである。音楽の天才モーツァルトのきらびやかな音符のオタマジャクシは嬉々として五線譜の上にひらりひらりと舞いおりてくる。天の高みから舞いおりてきた時には、すでに「ジュピター」の曲節となって奏ではじめているのである。

さて、漱石の「夢十夜」の第六話は運慶が護国寺の山門で仁王像を彫っていて大勢の人びとが見物に来ている。時代は鎌倉らしく運慶は見物人に頓着なく一生懸命に彫りつづける。若い男の言葉を借りれば「あの通りの眉や鼻が木の中に埋まっているのをノミと槌の力で掘り出すまでだ。まるで土の中から掘り出すものだから間違ふ筈がない」という。

大自在の妙境にある運慶の神技に魅せられてしまう。

明治の男であるらしい「自分」も家に帰って暴風で倒れた樫の木に仁王を彫りはじめたが三回やっても仁王はあらわれなかった。「ついに明治の木には到底仁王は埋ってゐないものだと悟った」とある。運慶はすばらしい彫刻家であった。彫刻であれ、音楽であれすぐれた芸術作品には神秘的な創造主が宿っているのではないかと思う。ローマ神話で「ジュピター」は最高神であるという。創造主との回路がつながった時、インスピレーションの火花がきらめくのではなかろうか。

首里城十句

数年前、首里城を管理する財団から記念誌への俳句十句の寄稿依頼を受けた。喜んで引き受け俳句十句を編んだ。

「栴檀《せんだん》の花烟《けむ》るなり首里三平等《みひら》」をはじめ「アジサシや女堂の池の水輪かな」「梯梧《でいご》燃ゆ龍潭池の緋鯉かな」と詠んだ。校正のとき管理財団の担当者から「龍潭池」についてクレームがついた。「龍潭」は「龍潭」であって「龍潭池」とは言わない、と。

それに対して僕は龍潭の池を掘ったときの歴史史料をあげて「池」の証明をしたのである。しかし、担当者は首里の古老たちの言い伝えでも「龍潭」であると。たしかに「龍潭」の「潭」は「池」という意味があるから語法上は「龍潭池」というのは誤りだとわかる。しかし作句上、「龍潭」では様にならないのである。座りが悪いし格好がつかない。しかし、最終的には古老たちの言い分を受け入れることにした。完全に脱帽。僕の負けである。

「キササゲや花のしとねの石畳」の句については少々説明がいる。キササゲは和名をセンダンキササゲといい、ノウゼンカズラ科に属する中国原産の高木である。龍潭の県立芸大の石垣沿いに十数木の大木がある。梅雨の小満のころ白いロート状の花を咲かせる。あまりにも高木なので下からは見えないが首里城の歓会門からは白い傘の美しい姿を見ることができる。花が散ると石畳はまるで落花狼藉《ろうぜき》のさまで散り敷く。首里士族たちは中国から持ち帰ったこの花を賞《め》でたのだ。唐傘の下で。

武器を持たない国

ベイジル・ホール「朝鮮琉球航海記」（岩波文庫）には、いかに琉球の人たちが友好的に待遇してくれたかを特筆している。琉球人は知性的で礼儀正しい民族であることを称賛している。

王府役人は「どの首長も供としてボーイをつれていた。その役目は四角い箱を持ちはこぶことである。中には米の飯、うす切り卵、蒸しパンなどが詰められ、酒を入れた小さな壺のほか盃や箸まで入っている」と記している。当時の首里王府役人は相当のグルメだったことが分かる。面白いのは船の宴席などでブランデーやシャンパンが出され、ほんの少量の酒でほろ酔い加減になって、含羞《がんしゅう》をたたえるしぐさを活写している。ホールはあらゆる場面で琉球人の礼儀正しさを褒めているのである。

彼は帰途、セントヘレナ島に立ち寄り、ナポレオンと会見し「武器を持たない国」について語った有名な逸話を残している。

この航海記は一九世紀初頭イギリスの使節としてやって来たホールの記録である。とりわけ琉球の地理風俗、政治経済の実態をヨーロッパに紹介した最初の書物となった。

ところでホールの後にやって来たアメリカのペルリ提督はこのホールの航海記を酷評している。いまペルリのところに言及する余裕はないが、ペルリは大砲と軍隊を引き連れて沖縄にやって来たことは史実。「ペリー日本遠征随行記」と併せて読むと興味深い。

「だいじょうぶ」考

診察室に入ると、さすがに緊張がはしる。主治医の先生は血圧手帳のグラフに目を通して聴診器を当て脈をとり、ニコリともせず、「だいじょうぶ」とモニター画面を見ながら言う。しかし二度もがん手術を受けた身にとっては、まだ先生の横顔から目を離せない。慢性的な身体不調が続いているから思い切って愁訴したい気持ちはおさえがたい。「先生、大丈夫ですか」と念を押してみる。「ハイ、大丈夫です」と。心の中では「マジすか」ともう一度先生の横顔を盗み見する。

「大丈夫」には大・中・小あるような気がするのだ。太鼓判の大丈夫。次に三文判ほどの大丈夫。さらにゴム印ほどの安い大丈夫。疑いはいっこうに消えない。患者としては根掘り葉掘り聞きたいところだが時間が気になって黙ってしまう。「大丈夫」と言われても心の片隅が氷結しているからだ。年を取るごとに「大丈夫」の言葉に過敏になる。

ぼくたちは日常的に「だいじょうぶ」を連発するが、その守備範囲は百八十度も広く漠としている。真剣そのものから単なる気休めまで。その明色から暗色のグラデーション。「大丈夫」という言葉はつかみどころがなくえたいの知れない軟体動物みたいに、あやふやな言葉である。相手との誠実で美しい回路がつながったときに初めて「大丈夫」が成り立つのだろう。

「大丈夫」を沖縄語に変換すると「ガンジューイ」となる。山之口貘の「弾を浴びた島」には、おもしろい詩句がある。

海鳴り

沖縄戦が終って衣食住に困っていたとき、しばしば台風に襲われたものである。なかでも中学生のときグロリアという女性名の大型台風のときは、ぼくの家の規格住宅の屋根が吹き飛ばされ全壊してしまった。兄とふたりで一晩中泥水の中で柱にしがみついていた悪夢を思い出す。

台風は年間二五個ほど発生し、しばしば沖縄諸島におそいかかってくる。とくに近年は地球温暖化の影響で「猛烈な」台風になる。

ぼくは那覇市の識名園のとなりに住んでいるが、大型台風が近づくといくつかの兆候でその大きさを察知するようになった。まずマリアナ諸島近海で台風が発生したというテレビニュースがある。家の垣根のゲッキツ（方言名ギギジャー）の白い花が咲く。

二、三日すると夜中に南城市百名のあたりからゴーゴーと海鳴りが高まってくる。海鳴りのあとは、まごうかたなく沖縄本島に襲来してくるのである。

台風は怖い。現在のコンクリートブロックの建物になって死の恐怖におびえることはないが、それでも台風は怖い。

ある年、ゴーヤーが豊作で喜んでいたら台風におそわれて悔しい思いをしたことがある。農家であればなおさらのこと再起不能になるほどに甚大な災害をこうむる。

ぼくは義務教育の中で「台風」についての特設授業をもうけるべきだと考えている。

台風をあなどってはいけない。

二〇二一年九月一〇日台風14号　９０５ヘクトパスカル

福沢諭吉の功徳《くどく》

僕が那覇高校の国語教師をしていた頃砂川秀樹君（文化人類学者）が弁論大会で優勝し、大分県中津市で開催される全国弁論大会に沖縄県代表として出場することになった。

さっそく調べると、大分県には「大分合同新聞」という地方紙があることが分かった。その読者欄に左記の趣旨の投稿をした。

「今度の中津市で開催される福沢諭吉杯全国弁論大会に参加する者だが、中津市にはこんな思い出がある。ある年の年末年始にかけて国語教師六人で九州周遊の旅に出て元日を中津市駅頭で迎えた。おりから正月の帰省客で大混雑。そのとき四十がらみの紳士が現れて乗降客を手際よくさばいてくれた。僕たち沖縄の教師はこの光景を目の当たりにし改めて福沢諭吉の遺訓が県民の隅々にまでおよんでいることに感動した。来月の弁論大会が楽しみだ」と。

もちろん弁論大会では砂川君が全国制覇したのである。すると「大分合同」の読者からお祝いの電話をいただいた。中でも大戦中大分県の疎開先だった田辺桂子さんからは、帰りにはぜひ湯布院に立ち寄ってほしいとの伝言があった。中津市長も僕の投稿を読んで、市庁舎に招かれ歓待を受けた。

福沢諭吉の功徳がこれほど偉大かを知るとともに新聞の威力を思い知った次第。

ところで僕の財布の中の福沢諭吉さまはニコリともせずいつもひとりぼっち。

拝啓　渡久地政信さま

デイケアに行く途中、広壮な邸宅の庭に見越しの松を見た。粋な黒塀ではなく港小石《ンナトグワァ》の石塀であったが枝ぶりが美しく庭師の丹精が込められているのはその風情で分かる。その話をデイケア仲間の傘寿のKさんに話すと、待ってましたとばかりに歌い出したのである。懐メロの巨匠・渡久地政信作曲の「お富さん」である。

むかし歌舞伎の「与話情浮名横櫛《よはなさけうきなよこぐし》」を見た。

「しがねえ命が情けの仇　江戸の親には勘当受け……よんどころなく鎌倉の谷七郷は喰いつめても……面にうけたる看板の傷がもっけのさいわいに……おしかりゆすりは源氏《げんや》棚《だな》……いやさ　お富　これじゃ一分じゃ帰えられめえがなあ」と手拭いで頬かぶりの切られの与三が大見えを切る。

渡久地政信の曲はその翻案で一世を風靡した。国民的歌謡になった。

Kさんは続いて「上海帰りのリル」を歌った。するとこの二年間、一度も口をきいたことのないMさんが口を開いてモグモグしているではないか。そしてサビの部分をKさんに和してデュエットしたのだ。

周囲の者も皆ビックリ。おお、歌は偉大なり。

僕は歌い終わったMさんの目に小さく光るのを見た。不思議な光景であった。それ以来Mさんは会うと目を交わすようになる。目に動きがある。

歌の力は偉大なり、偉大なり。ああ懐かし、渡久地政信さま。

老いのたわごと（一）

老いがすすむと夜眠れない時がある。過ぎ来し方を省みて、「わが人生に誤算なからんや」とつぶやいてみる。あれやこれや悶々とすると、ぼくは言葉遊びをはじめる。これから書くことは、ひょっとして貴方を傷つけてしまうかもしれない。どうかそこのところは老いのたわ言と一笑にふしてほしい。ゆめゆめ訴訟など御免こうむる。

東風平君　こちおいで。コチとは何とも風流ですね。菅原道真公は「東風吹かばにほひおこせよ梅の花　主なしとて春な忘れそ」と詠んでいらっしゃる。宇良関　面を上げい　汝は小兵《こひょう》ながら「たすき返し」などという特技の持ち主。くれぐれもケガに注意せよ。あゝ　ドッコイ。次に東門君が来たか。沖縄の東門君と水戸の黄門さまはどっちが偉いと思う？　上下関係から言っても東門君が上だ。これできまり。

喜屋武君「無礼者！　わしは参議院議員だぞ。キャン　キャン言うな」。オバマ大統領は言ったではないか「YES　YOU　CAN！」

今帰仁君　ナキジン家は尚家とゆかりのある名門。ナキジン御殿と詠んでいた。今帰仁は古語では「ミヤキセンとかイマキジン」と記されている。その語源はいまだ定説がない。ナキジン間切は豊かな土地で美男美女が多い。学生時代の彼女たちの姿が浮かんでは消え、消えては浮かぶ。今帰仁お神とうたわれた女人は今も達者でいらっしゃいますか。あゝ夜も白々と明けてきた。また明日。

老いのたわ言（二）

前回　眠れぬ夜のつれづれによしなし事を書いたが、どこからも苦情がなかったようだから、つづきを書きたい。ぼくの書くのは学問とはまったく無関係であることをご承知ねがいたい。

大工廻君　沖縄読みは「ダクジャク」だがどう考えてもヘンですね。歴史学者の比嘉春潮先生のお話では、明治の役人が「大工迫」とあるのを「廻」に書き間違えたことに起因するとおっしゃる。いまさら元にもどすのも大変。「迫」は「谷間」の意だから「大谷」とすべきのが筋だが「大谷」を音読し連呼されては迷惑だし御婦人方が顔を赤らめるから、やはり「大谷」に替えるのはマズイ。

話は飛んで、豊見城市の「保栄茂」は沖縄読みでは「ビン」。だが地名学者がその成り立ちを説明しても、わかったようでわからない。「真境名　仲順　大仲」を読める人はそう多くはない。いや豊見城市もモメているらしい。市町村名は「トミグスク」で、甲子園ではトミシロ旋風だから。いざこざを解消するには那覇と合併するか、糸満市と合併して豊満市ではどうだろう。ヌーウ……。

そうそう八重山の大工哲弘さんと言えば八重山民謡の大御所。彼の「トゥバラーマ」は聴く者を魅了する。その大工さんが音楽グループを結成するうわさがある。ビギンではなく「カーペンターズ」と名のるらしい。なるほど　ごもっとも　ごもっとも。では夜も白々と明けてきた。おやすみなさい。

教師のあだな

あだなについて調べようと、夏目漱石の「坊ちゃん」を読んだ。ユーモアたっぷり。久しぶりに痛快さを味わった。

「坊ちゃん」は日本風ハードボイルドな作品なのだ。校長の狸、教頭の赤シャツや数学の山嵐。あだなというものはユーモアの卵から生まれるのだろう。

坊ちゃん先生が四国・松山の田舎町の中学校の教師として赴任そうそう、黒板いっぱいに「天婦羅先生」と書かれるシーンがある。「天婦羅を食べちゃおかしいか」と聞くと、生徒のひとりが「然し、四杯はすぎるぞなもし」という。団子を食うと「団子二皿七銭」とやられる。本文では「二時間目にも何かある」と思うと、「遊郭の団子旨い」と書いてある。

江戸っ子気質の坊ちゃんは「ぞなもし」というとぼけた松山方言にきりきり舞いさせられる。

それにしても学校現場から教師のあだなが消えて久しい。これは明らかに今日の学校教育の中で、教師の存在感が薄れているからではないか。

ところで、朝順先生、君も教師のはしくれ、あだなはあったの？

へぇ　恥ずかしながら「サーターアンダギー」と。そのあだなに僕がくさっているとおちゃっぴいのA子が「でもね、色は黒いがアジクーターってことよ」と片目をつぶって廊下に消えた。

ちなみに「坊ちゃん」の「ぞなもし」は松山方言で、沖縄語では「……さあ」にあたる。

誰がために鐘は鳴る

ゲーリー・クーパーとイングリット・バーグマンの演ずるヘミングウェイ「FOR WHOM THE BELL TOLLS」はすばらしい映画だった。

原作では主人公のロバート・ジョーダンが岩山で美しいマリアに出会う。彼らが鉄皿からじかにフォークでシチューを食べるシーンがある。「兎の肉と玉ねぎと青とうがらしを煮つけたものでエジプト豆がはいっていた。料理はなかなかよくできていた」と書いている。この場面は一幅の絵になっている。

そこにはあとで裏切りをはたらくパブロという男もいる。人生の辛酸を目のふちにとどめているこの老人が鋭いナイフで黒パンを切り分けて食べている。ぼくはこのシーンが好きで、いつの日にか黒パンをナイフで食べてみたいと思いつづけていたものだ。

このスペイン内戦における人民戦線はドイツのヒットラーなどの右翼的潮流の中で滅びるのだが、第二次世界大戦を経て幾星霜、いま弔いの鐘は誰のために鳴っているであろうか。主人公のジョーダンは最後には死ぬが、その死には未来を信ずる者の強さ明るさがただよっていた。

二〇一九年、ヨーロッパは難民問題を契機《きっかけ》に右翼の台頭が目立ってきた。スペインでも右翼の躍進を報じている。「歴史は二度くりかえす」という言葉がある。人類の英知はもろくも崩れ去るのか。令和の今だからこそヘミングウェイのこの作品が読まれてほしい。そしてもう一度、誰がために鐘は鳴るのかを聴こうではないか。

母からの手紙

僕が一九五六年の島ぐるみ土地取り上げ反対闘争で琉球大学から除名処分を受け、東京で生活を始めた時、生活は困窮していた。秋口になっても夏布団一枚。毛布一枚ではさすがに寒いので、母ツルに布団が欲しい旨の手紙を書いた。

母からの手紙が来た。「ひもじくはないか　寒くはないか　ミーニシが吹いて雨戸がガタガタすると、順が帰ってきたかと目を覚ますことがある　カネを送った」。明治生まれで尋常小学校しか出ていない母ツルの手紙は全てカタカナ書きであった。

僕が琉大四年次で処分されたとき、卒業を目前にしての出来事に怒り、悔やんで三日三晩泣き明かしたという。しかし僕が長崎の原水爆禁止世界大会から帰って泊港埠頭《ふとう》に降り立った時、母ツルは毅然《きぜん》として言い放ったのである。「順、お前が悪いのではない。アメリカーが悪いのだ」と。

戦争未亡人で六人の子どもを抱えた母ツルは一念発起。那覇市樋川の農連市場に構内食堂のソバ屋を営むことになる。午前三時に起きて仕込み、それを二〇年間続けた。ソーキソバがおいしいので店は繁盛した。

僕が幸運にも高校の国語教師になった時は躍り上がって喜んでくれた。しかし母ツルは僕たちの名誉回復を待ちながら、その朗報を知ることもなく他界してしまった。女は弱いが母は強し。琉球王府時代に活躍した板良敷朝忠の子孫である。母ツルは貧しくても誇り高く凛《りん》として生きた女《ひと》であった。

玉辻山《たまつじ》のサクラツツジ

ヤンバルの山々には手つかずの自然が残っていて植物観察にはもってこいの場所である。以前「ヤンバルの自然を観る会」という同好会があって二か月に一度はヤンバルの山々に登った。北は与那覇岳、伊部岳、玉辻山、今帰仁村の乙羽岳、名護市の嘉津宇岳である。

ぼくがもっとも好きな山は玉辻山だ。東村と大宜味村の境にある山で、近くに福地ダムがある。白い巨石の走川《はいかー》は詩情がわいてくる美しい風景である。

寒さの残る二月ごろ、玉辻山に出かけるとエゴノキの花の香りが迎えてくれる。ハゼの紅葉が山道の右左にヒラヒラと舞って美しい。ユズリハの若葉も瑞々しい。ウグイスの谷渡りの美声もこの玉辻山にふさわしい。

頂上は急勾配で急峻《きゅうしゅん》なのでロープをつたって登る。頂上は狭いが三六〇度の大パノラマがひろがる。頂上でもしも転落したら、そのまま太平洋にザブンと落ちるのではと。

頂上で出迎えてくれるは沖縄では珍しいサクラツツジの群生があって薄いピンクの小花が玉辻山の冠のように咲いている。この玉辻山の風物をひとり占めにするのはモッタイナイなーとさえ思うのである。富士山の登山者が敬虔な気持になるという話はよくわかる。

しかし近年　植物の盗掘、昆虫などの不法採集などの理由で玉辻山への入山が禁止されていると聞く。そういえば当時もツツジの盗掘の痛々しい堀り穴があった。花や昆虫は「やはり野におけ」。盗らずに撮るものだ。

うっふんうっふんの歌

高校の国語教師をしていたころ、毎日が悪戦苦闘の連続であった。少しでも授業に興味・関心を呼び覚まそうと、あの手この手を使って集中させようと試みたものだ。授業に入る前に「こっち向いて恋」などとダジャレを飛ばすと頭の良い女生徒は白い目でにらみ返してくる。「ハイ、ポーズ必ず写真にはいるやつ」と板書すると関係ねえだろうとソッポを向く。

ちょうどそのころ俵万智の「サラダ記念日」が登場した。この歌集は短歌界を震撼《しんかん》させるほどの衝撃を与えた。彼女の短歌はとれたての野菜のように鮮烈で若者たちの心をわしづかみした。ぼくは早速授業の導入に取り入れることにした。「白菜が赤帯しめて店先にうっふんうっふん肩を並べる」「二階から見る傘ぱっと赤　いわさきちひろの絵になっている」。次の授業に臨むと図書館で調べてきた「サラダ日記」の歌がさまざまな書体で書きこまれている。「平凡な女でいろよ激辛のスナック菓子を食べながら聞く」など。革ジャンの歌がつづく。万智さんの「サラダ記念日」はぼくの授業の救世主となった。生徒たちの目の輝きに圧倒されたのだ。

現在、俵万智さんは東日本大震災後、石垣島に息子さんと一緒に移住していると聞く。もったいないと思うが、ふたたび俵万智さんの天稟《てんぴん》の花が開くことを願っている。万智さん「唐突のジョーク」が分かった。八重山でおいしい魚はマチだから。

東恩納寛惇《ひがしおんなかんじゅん》先生

ぼくは東京に出て、オモロ学者・仲原善忠先生の指導をうけ、沖縄の古代歌謡「おもろさうし」の研究をすることになった。「おもろさうし」原本には「間書《えーじやかき》」という語句の注がほどこされている。この注を記した人は識名盛命。王府時代のオモロ学者である。彼は「思草」という本を著わしているが仲原善忠先生もまだ見たことがなく、同じ沖縄学の東恩納寛惇先生が所蔵されていることがわかった。そこで、ぼくは寛惇先生に手紙を出して識名盛命について教えを乞うことにした。すぐにハガキの返書がきた。読んでビックリ。叱責の文面である。あろうことかぼくは寛惇先生の「惇」を「淳」と誤記していたのだ。学問を志す者の資格なしと。青二才のぼくは身が縮むほどに赤面したのである。しかし文の最後に「キミは王府時代の学者・喜舎場朝賢の子孫だと聞く。話だけは聞く」とあり、日時が記されていた。指定の時間は午前七時、ぼくはお詫びの挨拶だけでも述べたいので、国鉄・阿佐ヶ谷駅から新宿に出て電車を乗り継いで先生のご自宅にきっかりの時間に着いて案内をこうた。寛惇先生は玄関の居間に端然と正座されている。威厳に満ちた学者の風貌であった。

ぼくはお詫びの口上をのべた。が、識名盛命についてお尋ねはしなかった。小半時、先生のお話を拝聴して早々と辞去した。その後ぼくは卒論に「おもろさうしの間書について」を書いたが、オモロの書誌研究は自分の進む道ではないと悟った。

新しい発見のない人は学者にはなれない。

宮良当壮先生

当壮《とうそう》先生とは不思議な出会いであった。ぼくが首里高二年の一九五一年、八重山から後藤君という転校生がきた。ぼくは文芸部長だったから意気投合し、友人となり、彼の家に出入りした。

安里川沿いの土手のトタン屋根の家であった。そこで白いヒゲの老人に紹介された。その人が言語学者の宮良当壮だった。八重山方言の研究者である。

その当壮先生が週一回、松尾芭蕉の「奥の細道」の講義をするという。最初は二、三人の友人たちが聴講したが講義内容が難しいというのでやめ、ぼく一人だけの授業となった。

「奥の細道」からはじまって作句の指導を受けた。吃音《きつおん》の交じる声であったがその熱意に魅せられたのである。一介の高校生に報酬を求めず、二カ月にわたって講義されたことが不思議なことに思っていた。しばらくして当壮先生は東京の大学へ行かれた。

方言学のご本を頂いたが、ぼくにはチンプンカンプン。後年「宮良当壮全集」を購入したが歯が立たなかった。当壮先生との出会いは学問を究めることの厳しさを教えてくれた。

当壮先生の名は、沖縄タイムス『沖縄大百科事典』では当壮先生が東京で名乗った「みやながまさもり」となっている。差別に立ち向かった当壮先生の鬱屈《うっくつ》した気持ちが分かるようになった。

比嘉春潮先生

一九五六年の島ぐるみ土地闘争で琉大を追われ東京に出て最初に出会った師が比嘉春潮先生であったことは人生最大の幸運であり、神の恩寵であり奇跡であった。将来に絶望していたとき進むべき道をさし示してくれたのである。「君は東京で沖縄学を学び沖縄に帰って沖縄の文学の普及の仕事をしなさい」と。春潮先生は研究に必要とする文献を自由に閲覧することを許可してくれた。

春潮先生は最初に伊波普猷直筆の「おもろさうし」書写本を貸してくれた。ぼくは春潮文庫の数多くの文献資料を書写した。学問する喜びを知ることができた。楽しい日々。

春潮先生の風貌は謹厳な学者で学問には厳しかったが、夏の暑い日には「ぼくもステテコ姿で横になるからキミもシャツをとって話そう」とおっしゃったものである。

先生の書庫にはカード入れの引き出し箱があって、思いついたことを付箋に書いて、それぞれの箱に入れるのである。

ちょうどその頃、春潮先生は随筆集「蠹魚庵《とぎょあん》漫章」の執筆中で本ができるまでの様子をうかがうことができた。

ぼくは世田谷の弦巻中学で催される仲原善忠先生の「おもろ研究会」には春潮先生のカバン持ちでご一緒させていただいた。そこにも学問する喜びがあった。

ぼくは沖縄に帰ってきて偶然がいくつも重なって母校の首里高校の国語教師になった。

高教組では、高校生のための副読本「沖縄の文学」を出版し普及につとめた。比嘉春潮先生への恩返しができたと思っている。

阿波根直誠校長

一九五九年、東京での二ヶ年日本大学を卒業して沖縄に帰ってきた。仲原善忠先生の推薦状もあって沖縄大学の内定を得た。しかし新学期を迎えて不採用の通知がきた。沖縄工業高、沖縄水産高も国語の欠員がありながら内定を取り消された。すべてアメリカ民政府教育部による就職妨害であった。

四月の新学期が過ぎて、ぼくは那覇市栄町で古本屋をはじめようとしていた矢先、沖縄教職員会・事務長・喜屋武真栄先生（のちに参議員）がいらっしゃって「首里高定時制高に欠員があるから」と首里高に出かけた。

阿波根直誠校長は「いまの沖縄には気骨のある教師が必要だ。喜舎場君だから採用する」と告げられ、その日のうちに教壇に立った。当時は連合区制度でアメリカ軍民政府の管轄外であったことが幸いした。

阿波根校長は温厚な好々爺で多くの教職員の信頼する教育者であった。

僕は当時二六歳の若造であった。母校ということもあって自由な教育活動ができた。養秀八〇周年の編集を担当して記念誌をつくり、首里劇場を二日間借りきって文化祭を盛り上げたのは直誠校長の時代にはじまった。

全日制に移ると、生徒たちの進路指導や悩み相談が必要だということで、直誠校長から首里高初のカウンセラーを命ぜられた。「来るわ　来るわ」。頭のいい連中がヒヤかしの悩み相談で押しかけてきたのである。あげくのはてぼくが悩み相談を受けたいと悲鳴をあげた。

小説「琉球処分」

大城立裕さんの「小説　琉球処分」は若き日の作者が渾身の力を込めて書き上げた長編小説である。廃藩置県に至る歴史の流れを明治政府の強権と琉球王府の徒手空拳の姿を冷徹なまでに作家の目で客観的に描いている。沖縄の読者なら明治政府の琉球処分官・松田道之に対して激しい怒りを覚えて、ページをめくる手も震えるほどであるが、作者はここでも私情を交えることなく松田道之像を描き出している。

与那原親方や喜舎場朝賢に肩入れしたい気持であるが、頑固党の亀川親方や浦添親方にも深い同情の念を寄せるのである。松田処分官が無知蒙昧なやつらと見下す頑固党の面々の執拗なまでの外交交渉力。その粘り強さに驚嘆するとともに親近感さえ覚える。

東シナ海に浮かぶ小島。琉球王府の役人たちは列強のアジア進出も清国の滅亡も知らなかったから、ただただ狼狽し歴史に翻弄されるばかり。琉球処分は明治政府の軍隊と警察の強権によって完結するが、しょせん首里士族だけの闘いには限界があり敗北するしかなかった。当時の沖縄の民衆はこの争闘の蚊帳の外にあって歴史の流れに参加することはなかったからだ。

「小説　琉球処分」は現代の日米両政府による処遇にどう対処すべきか多くの教訓を提示している。沖縄人の生き方が問われている。この作品は沖縄の指導者たらんとする者にとって必読の書である。合掌。

命ど宝

「命ど宝」という言葉をはじめて耳にしたのは一九五六年。伊江島の土地闘争の農民たちをひきつれてきた指導者の阿波根昌鴻さんの演説であった。琉大学生会のぼくたちは学内カンパをおこない、伊江島真謝の闘争小屋まで出かけて行ってカンパをとどけたのである。ぼくは長い間「命ど宝」の出典を知らずにいたが、二〇〇五年刊、池澤夏樹「オキナワなんでも辞典」の大城立裕さん執筆でその由来を知ることができた。

「戦世も済《シ》まち　弥勒世《ミルク》もやがて　嘆くなよ臣下　命ど宝」の歌である。戦後活躍した劇作家・山里永吉「那覇四町昔気質《かたぎ》」の作中、首里城を明け渡して東京へ行く船の中で尚泰王が詠んだ歌ということになっている。琉球王府最後の王・尚泰王の作となっているが実のところ尚泰王作ではないようだ。この歌の「臣下」は「家来どもよ」ではなく「わが同胞《はらから》よ」と解すべきであろう。

ぼくたち沖縄人は「命ど宝」という言葉をよく使う。「命ど宝」にはあの過酷な沖縄戦に生き残りアメリカ占領軍の無法時代を生き抜いてきた先人たちの魂がこめられているのだ。沖縄戦後の民主主義の自由の獲得と生きる権利を求めてたたかってきた人々の心が生きづいているのである。

いまコロナウイルスが第二波第三波と襲い掛かっている。この目に見えない悪疫の渦中で県民の命を守って日々奮闘している医療従事者への感謝の念でいっぱいだ。沖縄のもう一つの歴史は悪疫との戦いの歴史でもあった。

狼が羊の番をしている島

北杜夫の小説の世界の厳かな模様とは打って変わって、彼のエッセイはとぼけたユーモアにあふれている。彼の「マンボウVSブッシュマン」は日頃の鬱屈を散じてくれる一服の清涼剤である。

さて、このエッセイの中には「アメリカ大統領と沖縄」という項目があって、五〇年前の沖縄を思い出させてくれた。この米大統領はアイゼンハワーのことで、一九六〇年に占領下の沖縄にやって来た。その時ドクトル・マンボウ氏も昆虫採集のために来沖していて、この騒動を見聞している。

僕も教員なりたての頃で、現在の県庁のあたりで銃剣を向ける米兵たちと小競り合いをしていた。沿道を埋めた県民が米大統領に「占領支配をやめろ」と抗議していたのである。米兵はカービン銃で群衆を威嚇し蹴散らかしていた。そこは険悪な空気に包まれていた。

アイゼンハワーがオープンカーで手を振って現れた。その顔は青ざめていた。しばらくして庁舎の裏側から黒塗りの乗用車が黒い煙を吐きながら逃げて行った。

さすがにこの光景を目の当たりにしたマンボウ氏は「近ごろは観光地だと思われがちだが私たちは沖縄の悲劇をいつまでも心に残しておきたい」とつづっている。彼も神妙な気持で襟を正した。あれから六〇年。米国は「血と汗で勝ち取った島」だと言う。僕は「沖縄は狼が羊の番をしている島だ」と。

川柳の愉しみ

退職した時、高校の同級生で囲碁同好会を作った。名づけて御城碁。首里城下だから。このシャレわかるかな。

ちょうどＮＨＫ囲碁フォーカスで川柳を募集していたので、ぼくも百二十句ほどつくって投稿したが、たった一句も採用されなかったのはお恥ずかしいかぎり。中でも今でも惜しいと思っているのは「死んだふり　している石に咬みつかれ」の句は佳句だと思いつづけているのだが……。

川柳を詠むのは愉しい。鬱屈した日常を忘れさせるいっぷくの清涼剤である。「大降りになって出て行く雨宿り」（作不詳）おかしいよねえ。誰にも一度や二度は経験があるはず。苦スと笑う。一茶の「やせ蛙負けるな一茶ここにあり」芥川龍之介の「青蛙おまえもペンキ塗りたてか」。アゴに手をあて厳めしい顔をしている文豪の作とはとうてい思えない。ユーモラスな句である。一茶の句に「雪の道二の字二の字の下駄のあと」の句は映像鮮明・印象的な絵画世界。正岡子規に「毎年よ彼岸のころに寒いのは」の句は俳句集に収められているが俳句的要素よりも川柳的ユーモアの勝った句である。それからすると俳句と川柳は紙一重といってよい。ぼくの「寒波来て昆布大根足てびち」の句も川柳に部類分けされそうだ。

スマホをのぞいてみた。あるわあるわ、サラリーマン・シルバー川柳があふれている。

さあ　川柳を一句

碁仇は負けて悔しや花いちもんめ　　順

刑事とコーヒー

ぼくの知人に推理小説マニアがいる。事件の殺しのテクニックから始めて、ナゾ解きが実にうまい。読み始めて間もないのに真犯人を即座に言い当てる。恐れ入ったなあ……。しかしぼくはついに彼の手口を白日の下に暴き出したのである。なんと彼は新刊の推理小説を最後のページから読んでいたのだ。「GOD DAMN YOU」という卑語はこんなときに使う言葉だろう。

さて松本清張の「点と線」が世に出た時、圧倒的な人気で迎えられたことはご記憶の通りである。この作品の警視庁捜査二課三原刑事は辣腕《らつわん》の刑事で、彼の犯人のアリバイ崩しはゾクゾクするほどのスリルがある。福岡の博多湾の若い男女の心中事件と北海道の列車に乗っている犯人をどう結び付け、そのアリバイを崩せるか。点から線へと執拗に犯人を追い詰めていく。

ところでこの三原刑事は無類のコーヒー好きで思案に暮れると行きつけの喫茶店へ出向いて、うまそうにコーヒーを飲む。一杯のコーヒーから推理がひらめき確証に近づいていく。事件の展開のたびにコーヒーは大事な進行の役割を果たしている。この小説にはもう一人の刑事がいる。和製のコロンボという風袋の福岡署の刑事で食らいついたら離さないスッポンみたいな男だ。

寒い冬の夜、コーヒーとソラマメをかじりながら（推理小説にはピーナッツはダメ）読む推理小説の楽しさ。まさに冬の夜の至福のひとときである。

追記
推理小説では最後に犯人がわかる。犯人がわかった上で小説を読みはじめると、犯行の伏線が準備されている。伏線が多彩であるほど小説はおもしろい。伏線の巧《うま》さで作者の力量がわかる。だから犯人がわかった上で読むのも一興であろう。

弁財天堂のほとり

弁財天堂は中城御殿前の龍潭池ほとりから首里城を眺める時、龍潭の奥まったところにある池中の小堂である。角度を変えて説明すると、守礼之門下の園比屋武御嶽から歓会門に向って右側は円覚寺跡、左側の円鑑池の中之島にある浮御堂のような御堂である。

この御堂に祭られている弁財天は七福神の一人で、福徳や財宝を与える美しい女神である。尚徳王時代の十五世紀半ばに建立されている。ついでながら、琉球王府の古地図を見ると、わが喜舎場親方の屋敷が、この弁財天堂の北側（現・県立芸大）に記されている。

琉球大学が首里城内にあった頃、この龍潭池ほとりは大学生たちが逍遥歌をうたう散歩道であった。橋の欄干にたたずむと往時がしのばれてくる。

弁財天堂の池にはメダカなどの小魚の姿があり、夏の頃コアジサシが飛び交っていた。コアジサシは、空中をホバリングしながら素早く獲物を仕留める名ハンターである。

アジサシや女堂の池の水輪かな

この句は、首里城管理財団の依頼を受けた「首里城十句」の中の一句である。緑青色の龍潭の水に映えて、歓会門、龍樋、さらにその空にそびえる朱色の首里城は、私の魂の中に鮮やかに刻印されている。

昨年一〇月三一日に起きた首里城の大火災・消失は、私にとって悔やんでも悔やみきれないほど悲しい出来事であった。生きているうちに、朝日に輝き、夕日に照り映える首里城が見たい。

君の名は　陽迎橋

一九六〇年ごろ、中部の高校につとめていたが学校での飲酒はおとがめもなく、ごくあたり前の日常茶飯事であった。

その日も誰いうとなく宿直室にたむろして酒盛りがはじまった。ぼくは当時は下戸だったので、早々に切り上げてバスで那覇の自宅に帰った。同僚のH君は陽気なスポーツマンだったが酒豪でもあった。彼は夜遅くなって那覇の自宅に自家用車で帰ることになる。これはまさに飲酒運転である。宜野湾市真栄原の十字路を左折し、浦添市前田のヨーゲー橋にかかるや運転を誤って車ごと橋下に落下したのである。酒に酔っているので、そのまま寝込んでしまったのだ。当時自家用車は珍しく転落の一部始終を見た者はいなかった。

Ｈ君は翌日の昼頃になって発見され普天間署に連行されたのだが、すっかり酔いもさめているので飲酒運転は証拠不十分であった。

学校中が大騒ぎになった。当時組合の役員をしていたぼくは教頭先生と一緒に身柄を引き受けるために普天間署に出頭することに。その噂はまたたく間に広がったがスキャンダルではなく武勇伝となってしまって驚いたのである。あれほどの大事件であったが新聞沙汰になることもなく終わった。今なら即刻懲戒処分になるところだ。テレビもまだ一般に普及していないころの話。

ところで、ぼくは長年よーげー橋は急カーブの傾いた橋だったから沖縄方言でいうヨゲーと思い込んでいた。いやいや、琉球王府時代に「陽迎橋」と立派な橋の名前があるとわかってびっくりするとともに、ひとり赤面したのである。

啄木の歌

不来方《こずかた》のお城の草に寝ころびて
空に吸はれし
十五の心

ぼくの手元に表紙のとれた啄木歌集がある。その奥付には昭和二二年発行・定価九〇円とあるから、かれこれ七五年になるわけだ。歌集をひらくと、人口《じんこう》に膾炙《かいしゃ》された歌には赤ペンで○や◎がついている。ぼくが高校生のときに何十回と口ずさんだ歌の数々だ。歌集をめくると往時のことがしのばれ、啄木の歌のゆるぎない魅力が胸に迫ってくる。

あれはぼくが琉大生だったころ、「琉大文学」主催の文学講演会をやってのけたことである。戦後、那覇市久茂地（国場ビル裏）に市民集会所という小ホールが講演会場であった。故琉大教授の岡本恵徳さん。彼が小林多喜二の「東倶知安行」、ぼくが「啄木の歌」と題しての講演であった。首里や小禄の青年たちが那覇中に手作りのポスターを張りめぐらしたので大入満員。小ホールに入れない人たちは窓越しに立ち見するほどの大盛況であった。

若干二十歳の青二才の天をも畏《おそ》れぬ大ソレた行為を思い出すと冷汗がドッと……。啄木の歌を全部暗誦しようなどの破天荒は青春という途方もないほとばしるエネルギーのなせる業であった。ぼくが青春時代に啄木に出会って、感受性を磨き美意識を高める契機となった。

函館の青柳町こそ悲しけれ
友の恋歌
矢ぐるまの花

魚眼レンズ

かつて本紙読者欄に「おきなわの四季抄」を一年間連載して好評だった高校教師の喜舎場順さん。

ことし四月からFM沖縄のトーク番組（毎週火曜日午後六時）でゲストを務めている。同じマスコミとはいえ新聞と電波ではメディアの性格が違う。鋭敏な自然観照と格調高い文章でならすご仁だが、当初は異風な教師タイプの話しぶりだった。それが今では突っ込みにも慣れて「のっている」と本人も思い込んでいる様子。トークの内容は「オキナワ　イン　フォーシーズン」と銘打って四季の移り変わりを分かりやすく解説するのが仕事。沖縄固有の草花をはじめ小鳥や昆虫など五〇〇種にのぼるかわいい出演者だけでなく、風や雲たちまで総動員して沖縄の自然を鮮やかに浮かびあげるのが狙い。

日曜日には「ディスカバー・イン・オキナワ」という感じで好きな山野を歩き回って取材に励んでいる。

若い高校生たちの反響もぼちぼちあるそうで、喜舎場さんはすっかり上機嫌。特に美人の安谷屋真理子が相手とあって……。

将来はビジュアルなビデオ映像も必要となってくると思われるので、「おきなわの四季」のシナリオも作成中。　（沖縄タイムス）

追記

テレビ時代にラジオを聴く人もいるのかなと思っていたら意外や意外、主婦らしき女性たちから様々な質問が舞い込んで、その応接にいとまなしの状態であった。ラジオ　恐るべし。

ゆく秋の

ゆく秋の大和の国の薬師寺の塔の上なる一ひらの雲

佐佐木信綱

秋の歌といえば、まず思い浮かぶのが佐佐木信綱の歌。修学旅行で奈良の古寺巡りがある。修学旅行生が塔の上を眺めると、やおら薬師寺の僧が説明をはじめ、「みなさん、日本で一番高い塔はどこの寺ですか。ハイ、京都の東寺《とうじ》ですね。きのうの京都で見ています。では日本一美しい塔は?」すかさず生徒のひとりが「ハイ、大和の国の薬師寺の塔」と答える。案内の僧は「さすが沖縄一の首里高生です」パチパチと。ユーモアたっぷりの僧の話に笑顔がこぼれ、眠気もふっとびます。(那覇高生にも……)

さて、沖縄の秋。季節感に乏しい亜熱帯の島の秋だから少し考え込んでしまう。ナデシコの花が咲くわけでも樹木が色づくわけでもない。しかし　よく耳をすましていると聞えてくるのです。

沖縄の秋蝉に「ジーワ　ジーワ」と鳴く蝉がいる。和名はクロイワツクツク。大和のツクツクボウシの仲間である。八月も末の処暑《トゥクルアチ》のころ、那覇市の識名園、首里の末吉公園、たくさん鳴いているのは読谷村喜名の松林でジーワ　ジーワ　ジーワと鳴くのである。

さらに秋が深まると、ヤンバル路で「ケーンケーン」と鳴く蝉がいる。オオシマゼミである。その蝉の鳴く音は物悲しく、行く秋を惜しむ侘《わび》しさがつたわってくる。

山原路島ひぐらしの秋逝きぬ

建善寺縁起《えんぎ》

むかし首里当蔵町に建善寺というお寺があった。しかし、一六〇九年の薩摩侵攻後に廃寺となった。おそらく廃仏毀釈によってなくなったのだろう。話が長くなるのではしょるが、その建善寺にまつわる話である。

一九六五年、ぼくが中部商業高校に赴任した時、家庭訪問で西原町棚原の生徒の家に出向いた。よもやま話の中で父母が次のような話をした。

「終戦直後、現在の西原高校の向かいに米軍キャンプがあった。基地のゲートに建善寺の石碑が戦利品としておいてあった。その石碑が夜な夜な泣き声をあげるので村の者はたたりを恐れ困り果てている」と。ぼくは早速、首里龍潭の中城御殿跡にあった沖縄博物館にかけあって石碑の収蔵をお願いした。おかげで石碑は無事に首里に帰ってきたのである。

実はぼくが東京の大学生時代の下宿先は、東京杉並の城間千代先生の家であった。かつて城間家は建善寺の寺主で、お寺がなくなったので東京に出てきていたのである。その話のいきさつを城間家に伝えると、先生はすでに亡くなられて、先生の次女が供養もかねて沖縄にやってきた。ぼくは娘に頼んで建善寺について調べてもらい、見つけることができた。建善寺は首里当蔵の万松院の路地の奥の方、石垣だけが残っていた。摩訶不思議な因縁話である。沖縄では琉球王府時代に仏教がもたらされたが檀家が成立しなかったので庶民の中に広がることはなかった。

ホラ吹き男爵

ぼくはヤンバルは大宜味の婿《ムウク》だ。大宜味村の喜如嘉、饒波《ヌウファ》、大兼久、根路銘には妻の親戚や知人が多く祝いの座に招かれる。最初のころは老若男女とも声がでっかく荒っぽいので喧嘩をしているのではと思ったほどである。とにかく、にぎやかで楽しい人たちだ。

お酒がまわると、男たちのホラ吹きがはじまる。「わしが大物釣りで刳船を出したら辺士名沖で大きな手ごたえ！　大魚にひかれるままに夜が明けて、あたりを見渡したら、なんと伊是名島。大きな鮫は船よりも大きかったさあ」。となりの老爺が「月夜に大兼久の浜でイザイに出かけたら畳一枚ほどに白イカが群れているではないか。バケツ二杯ほどは運んだねえ」。すると第三の老人が「ある日の夕方、根路銘の浜にミジュンが真黒く寄ってきたので家に帰り投網をとりだし、とりもとったり、二〇キロほど。村中はもちろんマイカーの人たちにも一〇〇匹ずつ配ったもんだよ。エッヘッへ……。

台所の柱のかげから「あんたのミジュンは去年は一〇キロだったのに、一年で倍にふえるからスゴイさあ」と女たちが笑う。老女たちも酒をなめなめ男たちにエールを送るのだ。二番座の老女たちは同じ話を何十回も聞いているから座ったまま手踊りでこたえるのである。あれから何年。ぼくも年老いてヤンバルに出かけなくなった。村のホラ吹き男爵は結の絆の潤滑油であった。よみがえれ　ホラ吹き男爵よ　と願うばかりだ。

第二次琉大事件エピソード　Ⅰ

一九五六年、米軍基地反対の島ぐるみ闘争の時、琉大学生会ははじめてデモ隊で参加することになった。大会参加にあたっては琉大当局の学生課長・仲村盛茂先生とも十分に話し合い事故のないように相談し合っていた。当日、デモ隊は首里城歓会門の広場に集結し三つの隊を組んだ。デモ統制委員長には喜舎場順、第一隊は嶺井政和、第二隊は神田良政、第三隊には与那覇佳弘をあてた。神田君は顔見知りであったが、身体が大きく声がデッかいので、その場でぼくが指名したのである。デモ隊は首里城を出発し安里十字路にさしかかると、本土からの帰省学生七、八名が琉大デモ隊にまぎれ込み「ヤンキーゴーホーム」のシュプレヒコールをはじめたので、琉大デモ隊に感染し、まったく統制がとれなくなった。

後日譚、神田君はぼくたち七名とともに退学処分を受け、京都の大学に転校した。のちに彼は具志川市議会議長になった。彼が亡くなる半年前に突然電話してきた。「お会いして喜舎場さんにお礼を言いたい。処分された時は喜舎場さんを恨んでいたが、京都の大学ではかり知れないほどのすばらしい教育を受けた。今あるのは喜舎場さんのおかげです」と。「いや、神田君にブン殴られるのでは」と言ったら電話の向こうで声がつまって「ありがとう　ありがとう」と。ぼくも言いしれぬ感慨をおぼえて言葉がでなかった。

しばらくたって、新聞の死亡欄で神田君の死を知った。

第二次琉大事件エピソード　Ⅱ

一九五六年八月、ぼくは那覇高でおこなわれた県民大会で第二回原水爆禁止世界大会への学生代表に選ばれ長崎市に行っていた。ところが沖縄では琉大学生会の「反米デモ」で六名がすでに処分されていることを東京駅頭で知らされた。

八月一七日、琉大当局から呼び出され、学長室で、ぼくひとりだけの処分を受けた。会議室には琉大学長安里源秀、副学長仲宗根政善、事務局長翁長俊郎、学生課長仲村盛茂が坐っていた。学生課長が立ちあがって処分の通知書をぼくに手渡した。ぼくは立ちあがって「処分の理由を聞きたい」と言うと、「ここは弁明の場ではない」と一同席を離れていった。

ぼくは仕方なく表玄関から出て広場へつづく石の階段を下りようとして振り向くと、

本館西のドアが開いて、仲村盛茂先生が半身をのぞかせて、小手をふっている姿を見た。

ぼくは怒っていたので仲村先生に応えることなく階段を下りた。次に振り向いたとき盛茂先生が手で涙をぬぐっている姿が見えた。しかしぼくは黙って石の階段をおりた。

大学は閉鎖中だったのでキャンパスには学生の姿は全くなかった。噴水の庭をめぐって最後にもう一度本館を振り向くと、本館はおりからの西日を浴びて燃えるように朱色に染まっていた。

あれから幾星霜、いま当時をふり返って、退学処分はアメリカのせいであって、琉大当局者にはみじんも恨みはない。

第二次琉大事件エピソード　Ⅲ

一九五六年、琉大から退学処分をうけて、みんなバラバラになり、ぼくは途方に暮れていた。ぼくは就職先を蹴って琉大に進学した手前、家族に迷惑をかけるわけにはいかず家を出た。首里赤平橋近くの諸見里さんの裏座四畳半の部屋を借りた。

教職員会長屋良朝苗先生のつてで琉球新報社長池宮城秀意さんが面倒をみてくださった。新報社の子会社の社外員として雇ってくれたのである。仕事は画家の大城皓也さんの下でベニヤ板のペンキ塗りなどの作業で、東京に行く前の三ヶ月お世話になった。その賃金でスイス製のチューガリスという時計も買った。この時計が東京での貧しい生活を支える魔法を生む。

東京中野の富士見町で岡本恵徳さん（のち琉大教授）と同部屋であったが、ふたりとも貧乏で、しばしばお金に窮することがあった。この危機を救ってくれたのがこの時計だ。

小説家・藤沢周平の「たそがれ清兵衛」では下級武士のお内儀が質種をかかえて質屋のノレンをくぐるシーンがあるが、まさか大学生のぼくが高円寺の質屋のノレンをくぐるとは思いもよらない出来事であった。

結局この時計は一〇〇〇円の質種で二度ノレンをくぐり三度目は七〇〇〇円で流してしまった。新宿西口のラーメン五五円。しかし当時のぼくは「ボロは着てても心は錦で」、大学六年、大学院生のつもりで意気天を衝《つ》くほどに沸々とたぎっていた。学問する喜びのもっとも充実した日々であった。

沖縄ヨー

日本列島の南に位置するわが沖縄は琉球列島とか南西諸島と呼ばれてきた。琉球王府時代には「唐や唐傘　大和や馬の爪わした沖縄や針の先」という知見をもっていた。沖縄戦では地政学的見地から本土防衛の捨て石にされ、アメリカ軍が沖縄を占領すると極東アジアのキーストーンにするため土地を強奪し軍事基地を強化し今に至る。

沖縄学の伊波普猷は孤島苦しまちゃびの姿をあらわに物語った。詩人の山之口貘は「弾を浴びた島」で沖縄語まで失った人びとを深い悲しみをつづった。作家の大城立裕は文化面で「同化と異化のはざま」というむずかしい言葉をつかい小説「カクテル・パーティ」を書いた。ジャーナリストの由井晶子は「蟻が象に挑む島」という認識をとおして沖縄を把えた。また作家の真藤順丈は戦後の混乱をたくましく生きる人間を描いて「宝島」を書いた。多くの論客がキャッチコピーを試みたが、いずれも隔靴掻痒《かっかそうよう》。何かもどかしく、はがゆい思いを隠すことができない。

ぼくは琉大生であった時、「琉大文学」に鎮魂詩「惨めな地図」の詩を書いた。それは沖縄中に米軍基地の星印のマークがあることへの告発であり反戦の誓いであった。小説「暗い花」では八方ふさがりの沖縄を暗い花とイメージした。さらに「新沖縄風物誌」を著し、「オオカミが羊の番をしている島」と把え、沖縄ののっぴきならない現実を風刺したのである。ぼくは矢の的をしっかり射ぬく正鵠さを自負している。

さて、あなたはどのような警句をお持ちですか。

司馬遼太郎　アメリカ素描

かつてこの作者の「梟の城《ふくろう》」を読んだとき忍者たちの人間像の彫りの深さに驚嘆したものだが、この「アメリカ素描」はユニークな文明批評である。「街道を行く」シリーズのアメリカ版である。

わずか二回のアメリカ旅行でこれほどの大部の論考をものにする作者の力量にあらためて畏敬の念をいだくとともに畏怖さえおぼえるのである。その論証の明晰さと精緻。一つの現象から時代の本質を洞察する数々の卓見や高説。ページをめくるごとに嘆声を発するほどの迫力と説得力をもっていて、まるで極上の御馳走を賞味しているていであった。

文中に「なぜサンキスト　SUNKISTというのですか」とたずねると、ロスの土地の男は「太陽がキスしているから」と答えるジョークもおもしろい。

しかし、ぼくは司馬遼太郎に対して尊敬の念をもちながら不満もある。それは彼が歴史小説家としての視座でアメリカを把えていないからである。アメリカの文明と政治は不離一体・不可分の関係にあると思うからである。司馬遼太郎は日米関係をトータルに把えていないからである。なぜなら核兵器を貯蔵する沖縄の米軍基地の存在はアメリカの覇権主義的性格を棒引きできないからである。その点でアメリカを免罪することはできないからである。

さて、話は変わって、アメリカ料理というのは存在しないという話はおもしろかった。多民族国家のカオスが凶とでるか吉とでるか。

第三章　エッセイ

むかし話

鳩《ホートゥ》の話

みなさん、鳩の鳴き声をご存知ですか。鳩ぽっぽと鳴くのではありません。沖縄の鳩は「ウトゥ　クェー　クェー」と鳴くのです。「クェークェー」は沖縄方言で「喰う食べる」という意味です。「ウトゥ　クェー　クェー」は「ウトゥさんがみんな食べちゃったよ」と。では母から聞いた鳩のむかし話を披露しましょう。

むかしむかし、真和志村にウトゥという名の娘がいました。識名園の近くに畑があって芋とトーフ豆などを植えて、朝から晩まで忙しく働いていました。来る日も来る日も毎日芋ばかりで、白いご飯は盆と正月にしか食べることができません。いいえ、村中の人びとが貧乏で質素な暮らしをしていたのです。

豆腐豆を収穫すると、トーフを作って首里の街で売り歩くのでした。ある日、崎山の馬場にさしかかると青年たちが力石を持ちあげる勝負《スーブ》をしていました。その中のアラカチの酒屋の次男のジラー青年に見染められて、ふたりは結婚することになりました。酒屋も決して豊かな暮らしではなく、まるで下女のあつかいのように、きつい毎日がつづきます。男の子を産んだが肥立ちが弱く、はかばかしくありません。義父のターリーは孫に滋養をつけようと思い立って、ある日鳩を生け捕りしました。え、どうやって鳩を生け捕るかって？　それはね、竹で編んだバーキ（大きなザル）を庭の中にしつらえ斜めに立て、小さな棒に紐を結び、豆をまいておくのさあ。鳩がザルの中にはいるやいなや、ヒンプン（門）に隠れたターリーが引っぱると、あれ！見事。ザルの中に鳩を生け捕るのさあ。

義父のターリーは自分で鳩の肉をさばいて鳩汁をつくるようにウトゥに命じました。ウトゥが鳩肉を煮ていると鳩肉は浮いてきます。ウトゥが味見をしようと一つ食べると美味しい。めったに肉を食べたことのないウトゥは二つ食べ、三つ食べているうちに、すっかり鳩肉を食べつくしてしまいました。ウトゥは今さらながら自分の餓鬼道に恥入って家をぬけ出し、とうとう行方知らずとなりました。

それからというもの、識名の杜の鳩たちは「ウトゥ　クェー　クェー　ウトゥ　クェー　クェー」と鳴いているのです。おしまい。

評論

沖縄方言は滅びる

「沖縄方言は滅びる」。こんな大げさなタイトルを見て眉をひそめる方々もいらっしゃるに違いない。このように断定的に言うのは沖縄方言を軽蔑してのことではない。いやむしろ滅びることへの哀惜の挽歌だといってよい。

今年二月二七日付本紙には名桜大学主催の国際シンポジウム「琉球諸語と文化の未来」が掲載されている。芥川賞作家・大城立裕をはじめとする五氏の提言は傾聴に値する立派な提言ではあるが、同床異夢の立場の違いの大きさを感じた。

五氏の提言を精査し分析し、総括した上で沖縄諸語を未来へつなげていく展望を誰が主導できるのか。これをまとめるには優秀な学者集団と莫大な資金を必要とするが、誰が主体になって行うのか。

このシンポジウムの主催者に負わせるのは酷であるし「隗より始めよ」は通用しない。問題点の一つは、沖縄諸語の現状を分析し、これらを総括した上で、どのように継承していくべきかの工程表をつくる専門家チームの確立の見通しは極めて困難であることが想定されることである。

第二の問題点は沖縄諸語の継承には学校教育での実践が不可欠である。各地で思い思いに「しまくとぅば」の催しをやっても、それは現状と変わらない。大きな難関は沖縄県民の合意の形成であるが、それとても容易に解決できる事柄ではない。たとえ合意が形成されても日本政府の文部科学省が沖縄限定の教育カリキュラムを法制化することは絶対にありえない。小中高校に沖縄語を取り入れる時があるとすれば、それは沖縄が独立国になった時であろう。沖縄語は日常語にも公用語にもなりえない。いつ、誰が何のために使うか。

第三の問題点は、この継承の事業には莫大な資金を必要とすることは自明の理である。研究者、学者集団の養成と、その実践要員としての教員集団をどういう工程で養成するのか。県民の力だけで支えるのは不可能である。

最後に私の提案を述べる。沖縄語は滅びる運命にあるが「滅びる」時間をできるだけ引き延ばす延命治療はできると考える。できるだけ早く学者集団を結集し「正書法」や「丁寧語」の前提条件となる課題を解決すること。今回の名桜大学の事業は極めて重要な役割を担っている。

私はデイケアで沖縄語講座三五〇回、「琉歌百選」講座を行ったことがある（近日出版予定）。沖縄語を取り巻く状況は極めて深刻である。多種多様な取り組みが必要だ。沖縄語をすべてＡＩ（人工知能）に収録する作業を行うことであろう。

付記

沖縄方言の継承にあたって、工程表を提示し全体を統括できる学者がいないことが最大の欠陥である。要するに、方言の継承にあたって企画・進行をつとめるディレクターの不在である。

だから

沖縄方言は滅びる。

エッセイ

激励の達人　仲宗根政善先生

一九五三年、琉大の五期生として国文科専攻の学生が何人いたのか、よく覚えていない。というのは教育学部の副専攻の学生と入り混じっていたからだ。たぶん七、八名だったと思う。

ぼくが仲宗根政善先生にお目にかかったのは、二年次の国語学概論の講義であった。言語学の世界はぼくとはまったく無縁であり、先生の講義はぼくの理解をはるかに超えていた。ぼくがそこに席を占めていたのは、ひとえに単位を取得するためだけの存在でしかなかった。

当時ぼくは「琉大文学」に拠って詩や小説に夢中になっていた。新川明、川満信一、岡本恵徳、豊川善一、具志堅康子らと熱っぽく文学を語りつづけていたのだ。だから仲宗根政善先生の言語学が眼中になかったのは若気のいたりとはいえ無理からぬことであった。

ぼくたちが琉大から退学処分を受けたのは四年次の一九五六年の夏のことである。第二回原水爆禁止世界大会に参加した後、琉大学長室に呼び出され、安里源秀学長から直接退学処分の通告をうけた。

その前年、「琉大文学」に載ったぼくの詩「惨めな地図」がアメリカ軍当局の指示で、発禁処分を受けていたので仲宗根政善先生は心配しておられた。

しかし、大きな歴史の転換点に立たされると個人というものは歴史の進行方向に背をおされて歩むものだということをはじめて知った。歴史的な島ぐるみ闘争というたたかいの中で、あれだけ純粋な気持で生きることを我ながら不思議に思う。たしかに運動が下火になると将来に対する不安が渦巻いたし、親兄弟から袖をひかれると怯懦《きょうだ》の心がしばし鎌首をもたげたのは確かである。そういうわけで再度琉大学生会を結集しようと悪戦苦闘をすることになるが、当時のぼくたちには闘争の力量が不足していたし、歴史的条件も熟していなかったので琉大生の土地闘争は衰微《すいび》していった。

琉大を退学処分されたぼくたちの面倒を見てくれたのは、当時副学長であった仲宗根政善先生であった。どれほどの御心労があったか、先生はまったく口にしなかったが、とにかく七名のうち五名を京都と東京の大学に編入させてもらった。

東京の在学中も政善先生には迷惑をかけつづけた。学資の援助問題が多かった。東京でのぼくたちの行動が逐一先生のところに密告されていたのである。ぼくたちをかばおうとする先生に多大の迷惑をかけてしまった。

東京では政善先生の紹介でオモロ学の仲原善忠先生、外間守善先生の「おもろ研究会」に入れてもらったのだが、やはり不肖の教え子なのだろう、ぼくは沖縄に帰ると教職員運動の中に身を投じていた。

ぼくたちの結婚式では立会人の世話もしてもらったし、毎年娘や息子をつれて松川のお宅にお伺いするという師弟関係だけは結ぶことができた。

仲宗根先生の師としてのすばらしさは人を励ますことがとてもうまいということである。激励の達人であった。

ぼくが新聞に論考やエッセーを書くと、きまって励ましの手紙を送ってきた。ありきたりのものではなく、ことこまかに賛同する内容であった。先生の励ましがどんなにか勇気づけられたのである。いまその偉大な師・仲宗根政善先生を仰ぐ思いである。

ぼくはいま六二歳、ようやくといおうか、やっとといおうか、私家版歳時記「沖縄の四季」の原稿執筆を終えたところである。来春には出版のはこびとなるであろう。おそまきながら政善先生の御恩にむくいることができたと信じている。

「追悼　仲宗根政善」より

いまぼくは八七歳を生きているが、良き友、良き師、良き木に出会えることができた至上の幸福であり、神の恩寵である。

評論

琉歌研究　琉歌のサクラについて

琉歌の白瀬走川節に「白瀬走川に流れゆる桜　すくて思里にぬきやい　はきら」という歌がある。この歌には琉歌研究史において二つの問題点をかかえている。

その一つは「サクラ」を桜の花と見たてるものと、いいえ、このサクラはツツジだとする考え方がある。もう一つの問題点は「サクラ」は桜の花で水に流れる桜花を掬って糸に貫いて愛しい人の首にかけるという解釈。それに対して、桜の花を糸に貫いて首にかけるのは現実的に不可能だから、リアルに「首にかける」と把えるのではなく「愛しい人の首にかけてあげたい」という願望と把える説である。残念なことにこれまでの解釈はすべて前者に右へならえしていることである。この二つの解釈の相違が現在の琉歌研究に残された唯一の問題点である。

第一の問題点については、喜舎場朝順の「新沖縄風物誌」に詳しく論証している通りでその論考の概略は左のとおりである。

「白瀬走川節の『サクラ』は桜ではなく、『サックヮ』→サクラ」であることを証明した。天野鉄夫「琉球列島植物方言集」によれば白瀬走川のある久米島ではツツジのことを「サックヮ」と呼んでいる。ぼくの論考では「サックヮ→サクラ」であるが、この琉歌を詠んだ歌人になってみると「サックヮ」では発音上「すわりの悪さ」を感じとって、音の響きのよい「サクラ」にしたと考えるのである。この由来を理解したうえで「サクラ花」を容認したのである。

したがって、桜花を掬って愛しい人の首にかけるのは即物的であるから間違った解釈になってしまう。ここでは「美しい桜花を掬って糸に貫き愛しい人にかけてあげたい」と願望を表していると解釈すべきである。

琉歌の解釈で大切なことは、日本文学の古今集や新古今和歌にみられるように優美や幽玄の世界でとらえるのではなく、おもろさうしや琉歌の特徴である生命の躍動を素朴にうたう視点をしっかりと見すえることだ。

書評

「宝島」

真藤順丈さんの「宝島」への感想が、新聞の読者投稿欄に出てきました。その多くは沖縄民衆のたくましいエネルギーを書いていることへの賛辞でした。

しかし、そこで少し気になることがある。沖縄の戦後の裏歴史を書いた佐野眞一氏のノンフィクション「沖縄　だれにも書かれたくなかった戦後史」との相違をどう説明できるかと。

沖縄戦から今日まで沖縄の政治、思想の潮流は保守と革新の激しい闘争の歴史であった。沖縄戦の教訓に学び、二度と戦争に加担しない勢力。つまりアメリカの軍事基地を撤去し、祖国日本の平和憲法のもとに復帰しようとする勢力。

一方、東西冷戦の中で旧ソ連・中国の脅威が増したとして沖縄の経済復興をめざす基地容認の保守勢力。この両者の対立。その間の事情は「基地がなくなると、あの戦前のソテツ地獄、イモハダシの貧しい生活にもどりますよ」というキャンペーンによく象徴されている。

そこで「宝島」。第一部の登場人物。ヤッチーことオンちゃん。その弟分のレイ。仲間のグスク。美少女のヤマコ。彼らの嘉手納基地をめぐる戦果アギヤーの逃走劇は手に汗にぎる生き生きとした大活劇であった。

その後で突然、コザ派暴力団の親分《ターリー》・喜舎場朝信が登場して、「あれ、これはエンターテイナーの小説じゃなかったの？」と疑念が噴き出す。さらに那覇派の又吉世喜。沖縄人民党の瀬長亀次郎。沖縄教職員会の屋良朝苗が実名で登場するに至って、フィクションなのか、ノンフィクションなのか乖離《かいり》が生じて、せっかくのエンターテイナー（娯楽性）がそがれてしまう。

復帰協の役員をしたり、与那国のクブラの友人、大朝さんを知っている筆者にとって大きな違和感をいだいた。「それは、ないよなあ」と。現実と空想の世界がごちゃ混ぜになって、せっかくの興をそがれてしまった。

先に述べたように、沖縄の戦後史は保守と革新の対立抗争であって、戦果アギヤーたちが島中を席巻するものではなかった。

「宝島」の中に、沖縄の魂の救済やたくましさを感得するのは読者の自由。読者は小説のおもしろさを充分に味わえばいいのだ。

真藤順丈さんは「宝島」を書いて直木賞をもらい、二五万部も売れているそうだ。小説家冥利につきる。今後の活躍を期待する。そして読者は心ゆくまで楽しんでもらいたい。

彼は沖縄を「宝島」ととらえている。沖縄は本当に宝島なのか。沖縄のきびしい現実は「オオカミが羊の番をしている島」だと筆者は思い続けているのだが……さて。

書評

「宝島」のマジック　作品をもう一度考える（二）

ぼくは真藤順丈さんの「宝島」書評の中では高い評価を与えなかった。ぼくの異議は圧倒的な賛辞の中に消えてしまったが、ようやく「宝島」フィーバーが沈静化してきたので再度検証を加えるのも無駄ではないと思っている。

読者はコザ派暴力団・喜舎場のターリーが登場したとき、「あれ、この作品はエンターテインメント小説じゃないの？」と気がついたはずである。

ぼくの憶測では、作者は主人公オンちゃんの物語の展開に苦しんでいたのではないか。主人公オンちゃんの大活劇がはじまろうとするときに、突然ノンフィクションに舵をきって実名で喜舎場朝信や又吉世喜、瀬長亀次郎、屋良朝苗を登場させた。読者は真藤マジックにからめとられて、うまい具合にけむに巻かれてしまったのだ。瀬長亀次郎や屋良朝苗さんと同年代を生きてきた人たちには、その違和感を共有できるはずだ。

そこで、こぼれ話をひとつ。一九六七年の教公二法阻止闘争のころ、ぼくは中部の高校で高教組中部支部長をつとめていた。ある時、知人を介してコザ派暴力団の喜舎場ターリーから次のような伝言を受けた。「わしは中部の軍用地主会の役員をしているが、年ごとに軍用地料が上昇して慶賀のいたり、これは琉大学生会の喜舎場朝順たちの四原則貫徹の島ぐるみ闘争のおかげだと思っている。ついてはリージョンクラブで一席設けたいのでおこし願いたい」と。アキサミヨー、いくらなんでも暴力団の親分の接待を受けるわけにはいかないので、丁重にお断りした。後日、ぼくの勤めている高校に送り主不明の泡盛二本がとどく。その酒は復帰協デモの打ち上げ会で皆で飲んだ。このエピソードは「宝島」には出てこない。事実は小説よりも奇なり。

たしかに真藤順丈さんの「宝島」は沖縄の読者を魅了した作品であることは疑う余地はない。しかし沖縄を「宝島」ととらえるのは沖縄の実相のある側面である。むしろ米軍に抑圧された怨嗟《えんさ》の声に満ちている。伊江島、カデナ、コザ、伊佐浜のどの土地を掘り出しても米軍によって虐げられ葬りさられた人々の嗚咽の声が聞こえてくる。沖縄は間違いなく「オオカミが羊の番をしている島」なのだ。

踏まれても踏まれても雑草のように、たくましく生きてきた姿、幽鬼の魂が救われる作品が生まれてほしい。

これまでの池澤夏樹さんの「カデナ」。大城立裕さんの諸作品。又吉栄喜さんの作品。池上永一さんの作品に改めて脚光をあてる時代が到来している。

最後に、伊波普猷のことば「汝の立つところを深く掘れ」と。

エッセイ

ぼくのおふくろ

どんな人にとっても母と言う存在は偉大であり、永遠であるに違いありません。ぼくにとってもおふくろはやはり太陽なのです。このような思いは早くに父を失ったことによるものかもしれません。いま七三歳の古希の祝いを迎えることに対して、大人げもなく讃仰の拍手を送るわけです。

ぼくは現在四二歳です。幼少のころから現在にいたるまでのおふくろについて書けばそれは優に一巻の書物になろうかと思いますので、ここでは二つのエピソードによって母を語りたいと思います。

幼少のころのぼくはとてもアヤーフンデーでした。ちなみに田舎では父をオトー、母をアンマーと呼んでいましたが、村中でぼくの父母だけは喜舎場のターリー、アヤーと呼ばれていました。ぼくは、たしか小学一年生のころまで　おふくろのオッパイをしゃぶっていた記憶があります。乳離れの遅い晩生の子だったわけです。

戦前、ぼくたちは南風原村兼城で雑貨店ながら手広く商売をしていました。そういうわけで、おふくろは商品の仕入れのためによく那覇の街に出かけました。そのころ那覇と与那原間に軽便鉄道がとおっていて現在の兼城十字路近くに南風原駅がありました。

ぼくはおふくろが那覇に仕入れに行く日にはおふくろの身づくろいで鋭く察知することができましたので朝から母にまとわりついて離れませんでした。あの当時にしては珍しく、高価な玩具を土産に買ってきてやると言われても、ぼくはおふくろの帯にぶらさがって決して離れることをしませんでした。兄や姉たちにいくらからかわれても、また怖い親父にたたかれても、おふくろの側を離れなかったのです。あまりにも激しく泣くので脱腸になったこともありました。

それでもやはり大人は子どもを捲《ま》くのがうまい。ちょっとばかり油断していた隙に、おふくろは駅の方に走っているではありませんか。もちろんぼくは「アヤーよ　アヤーよ」と大声をあげてそのあとを追うわけです。すると村の女たちは「エー、アヌ喜舎場ヌアヤーフンデーよ　アササー（熊蟬）ヌ鳴チユンネーシ　アヤー追テイチュサ」とひやかします。

ぼくがおふくろに捲かれたドジを悔やみながら南風原駅に着くころには、おふくろを乗せた汽車は遠く一日橋の砂糖キビの穂波の彼方に消え去ろうとしています。ぼくは線路のレールに耳をあてがい、確実にそれらの事実を知らされた。

ぼくはおふくろが帰ってくる半日の間、無人の駅の構内で時を過すことになります。駅の近くの川で田魚《ターイユ》をとったり、タナゲー（手長エビ）をとったりで、こんどはそれに夢中になります。ようやく夕暮れ近く大きな風呂敷包みを背負ったおふくろにとびついて、こんどはうれしくてまた泣きました。

しかしサーター屋の煤煙と砂糖の香りを背に受けて家路をたどるころには、なんともいいようもないくらい満ち足りた気持で、おふくろよりも先を走って家の人たちに母の帰りを知らせるのでした。

しかしこんなアヤーフンデーの次男・朝順も沖縄戦で親父を失って苦しい生活を閲《けみ》していらい、すっかり逞しくなっていました。たくましいといえば自惚れのように聞えるかもしれませんが鍛えられていました。

ぼくは琉大四年生になっていました。今でもよくおぼえていますが、一九五六年五月一九日、この日の夜明けに宜野湾市伊佐浜が米軍の戦車とブルドーザーで強制的に接収されました。ぼくは琉大学生会の事務局長で、その三日前から伊佐浜部落に泊り込んで農民たちと一緒に闘っていました。しかしぼくたちは抵抗できるどころか、部落の人たちとともに米兵の銃尻でなぐられ追い散らされてしまいました。

ぼくは何の罪もない農民たちが家を焼き払われるのをこの目で見ました。そのときぼくの書いた「惨めな地図」という詩の載った「琉大文学」が米民政府教育部長によって発禁処分になりました。この時、ぼくたち「琉大文学」の仲間が大学当局から謹慎を命じられました。

しかし、そのころすでに県民の間から米軍の土地強奪に反対する「四原則貫徹」の島ぐるみの闘争は燎原《りょうげん》の火のごとく燃えひろがっていました。琉大学生会も一人残らずこの闘争に参加し、ぼくは学生会の闘争委員長に選ばれていました。

しかし現在のように県民の団結は強くはなく、しかも闘争の経験が浅かった琉大学生会は米国民政府のリーフェンダーファー教育部長の命令で、ぼくをふくめ六名の学生が琉大から放校除名処分されて、もろくも潰滅《かいめつ》してしまいました。卒業を半年後にひかえての、しかも米軍ににらまれての処分というのはつらかった。

あの当時、兄や姉たちがどんなにか肩身の狭い思いをし苦しい境遇にあったかを思うとつらかった。そのときも、おふくろはきっぱりとした態度で愚痴一つこぼしませんでした。ぼくにとっては救いであり何よりの励ましでした。

その後、周囲の人たちの温かい援助によって東京で勉強することができたわけですが、おふくろの手紙に「夜寝ている時でも順の勉強部屋の雨戸がガタゴト音がすると順が帰ってきたのではと目覚めて、きき耳をたてます」などと書いてあって、遠く故郷をしのんで泣いたこともありました。

そのときから戦争未亡人の母ツルは現在の農連市場構内に間口一間ほどのソバ屋を始めたのです。

「喜舎場ツル古希記念・わたしの母　一九七七・三・十二」より

評論

琉歌の「サクラ花」考

沖縄タイムス一月一九日付、前城淳子氏の「琉歌の玉々」35の「桜」について。その誤りを指摘し、わたしの新解釈を述べる。

前城氏は「白瀬走川節」の「白瀬走川に流れよる桜　すくて思里に貫きやい　はきら」の歌意として「白瀬走川に流れる桜を手で掬い取り、糸に貫いて愛しい彼に掛けよう」と解釈している。さらに説明を加えて「糸で貫いた花は切っても切れない二人の関係です。美しい桜をつらぬいて、それを愛しい男の首に掛ける」と記しています。

この「糸を貫く」という表現は多くの琉歌研究者が論じています。琉歌研究の第一人者・島袋盛敏先生をはじめ阿波根朝松・与那覇政牛・宮城鷹夫の論考が残っています。

ちなみに高校生の副読本「沖縄の文学」編集者が散った桜花を集めた実験記録があります。結果は五〇〇枚の桜の花を糸で貫くと三時間後には見るも無残。二〇センチの赤黒く変色し萎びて、とうてい愛しい人の花輪にできないシロモノになったのです。

琉歌を直訳するのは愚の骨頂です。国立国語研究所編「沖縄語辞典」でさえ同じ誤りをくりかえしているのです。

島袋盛敏先生は「琉歌集」の中で次のように述べています。「桜花で花輪を作るのは無理な話で、実際に花びらを糸に貫き集めるのは桜の花よりもむしろ久米島のツツジの花が適当であるから花輪にしたのは桜ではなくツツジであろうと。私はいったことがあるけれども、それに反対する人があるので、やむなく桜の花としておく」と苦しい弁解をしています。

植物学者・天野鉄夫「琉球列島植物方言集」には、久米島ではツツジをサクラ」と記している。喜舎場朝順著「新沖縄風物誌」で「琉歌のサクラ考」を論証している。

では、まとめとして白瀬走川に流れよる桜について私の新しい解釈を述べます。

歌意「白瀬走川の清らかな流れに浮かぶ桜花よ。その桜の花びらをわたしの愛しい人に花輪に造って　あげたいなあ」と。

実際に、散り落ちた花びらを糸に貫くことはできないけれど、気持としては「糸に貫いた美しい花輪をあげたいなあ」と願望の意をこめて解釈したい。

琉歌を鑑賞する者は琉歌を詠んだ歌人の心にもっと耳をかたむけて聴くことだ。歌人の心は即物的リアリズムではないのである。歌人の豊かな想像力をしっかりと把えることが肝要である。

この白瀬走川節は完成された文学性で読み解くのではなく、文学のもう一つのバイタリティに満ちた生命力を謳歌する民謡風のおおらかさで解釈するのが妥当だろうと思料されます。

エッセイ

沖縄の樹木の名前

みなさんは沖縄の街路樹が何種あるかをご存じでしょうか。那覇市に限って言えば約一〇種ほどの街路樹がある。県庁前のホウオウボクをはじめとして、フクギ、アカギ、クバ、ソウシジュ、トックリキワタ、イスノキ、サガリバナ、イペー、クロキ、クスノキなどである。

さて、この一〇種類の街路樹の名前を方言で言えますか。ホウオウボクやトックリキワタ、ソウシジュ、イペーは外来種だから方言名はない。順序よく言えば、フクギ、アガギ、クバ、イース、サガイバナ、クルチ、クスと言う。

ヤンバルの山野を歩いて五〇種類ほどの樹木名を言える人は植物をよく観察して知っ

ている人と言える。街中で育った人にとって樹木はそれほど興味をひく存在ではないから植物名を知らなくても、どうって関係ないのである。

しかし、むかしむかし沖縄の島々に上陸して生活をはじめた人たちにとっては樹木は生きていく上で絶対に必要な存在であった。家を建て舟を造りイノシシに襲われた傷口を治すためには、どの木がふさわしいかを熟知する必要があった。沖縄のルーツをたどってみれば多くは九州や奄美の島づたいに北から南下して渡来してきたので、沖縄の地理的に近い薩摩や奄美の言葉で木の名前を同定したはずである。たとえば鹿児島のクスノキを知っていた人びとは沖縄のクスノキと同じだと認識したのである。

少し煩雑さをいとわずに例示すると、蘇鉄のソテツは大宜味でもスティツ、首里でもスーティチャー。福木のフクギは今帰仁でもフクギ、宮古でもプクギ。島桑は那覇ではナンデーシ、中頭でもナデシ、おもろさうしにもナデスと記されている。ホルトノキは国頭や首里でもターラシという。北は国頭から宮古・八重山まで多少の音韻の変化はあっても、ほぼその名前と同定できるのである。この事実は沖縄に住む人びとが共通の祖先であることを意味する。あらためて沖縄の古代人の英知に頭をたれる次第。沖縄の島々の一木一草にはすべて名前がある。むかしの人びとがその用途を熟知していたことは驚嘆すべきであり不思議でもある。

ぼくが沖縄の植物に関心をもつようになったのは五〇歳を過ぎてからである。六〇年代の労働運動にたずさわっていた時、その過酷な任務に耐えきれず自律神経を患い組合運動から身をひいた後のことである。ヤンバルの山荘にこもって山野をかけめぐっているうちに植物についての無知をおぼえ、植物図鑑などを多量に買い込んで猛勉強をはじめたのである。木々の葉っぱを摘んできて拡大鏡をつかって実物と図鑑との同定作業を続けたのである。この作業はぼくの疲れきっていた心を癒し慰める、楽しいものであった。身も心も徐々に回復していくのを実感できた。

妻・直子の叔父にあたる天野鉄夫先生の指導で多くの植物と出会いその名前と用途を学んだのである。とくに天野鉄夫著「琉球列島　有用樹木誌」はぼくのバイブル的存在になった。その成果の一つが沖縄タイムス紙夕刊に一年間にわたって執筆した「沖縄の四季抄」である。

ぼくはヤンバルの行き帰りに恩納岳を見る。戦後この方米軍の砲弾射撃場となり木々は焼き払われ、赤黒い地肌をむき出しにしている姿を見ると涙が出るほどに悲しい。歌人恩納ナベの愛した緑の山容はいたいたしい。いつの日にか、米軍の射撃場をやめさせ、県民の力で緑の恩納岳をとりもどしたい。岳が緑におおわれたら海の幸も豊かになることを東北三陸の漁師たちが教えてくれた。地球温暖化の今だからこそ、わたしたちは緑の木に深い関心をはらうべきではないか。むかしの国の為政者の最大の仕事は山に木を植え洪水から人びとを守る治山治水だったのだ。

最後にニガキの木のエピソードをそえてしめくくりたい。

南城市の大里城址の古墓にはニガキという小低木がある。那覇や首里近郊でもめったに見られない希少といえるほどの珍しい木である。

ニガキの木の下で植物観察の仲間と休息していた時、生物教師のTさんが「この葉っぱをごらん」と一枚の葉を手渡された。恐るおそる噛んでいると、いやはや口の中が苦みで充満したのである。家に帰ってアレコレ毒消しをはかっても、その苦みは翌日まで残ったのである。あとで調べてわかったことではあるが、ニガキの茎は健胃剤、葉っぱは虱駆除に用いる。この記憶は今にいたるまで強烈で植物観察の原点となっている。

エッセイ

オモロへの招待

ぼくが沖縄の古代歌謡のおもろさうしのオモロに出会ったのは伊波普猷の「古琉球」であった。東京での学生生活がはじまって、ある日、親戚で小説家の當真嗣光さんに会うために中央線の高円寺駅におりた。駅の西口に「球陽堂書房」という古書店があった。店内をのぞくと「古琉球」の背文字が後光を放ち「ぼくを読んでくれ」と手招きをしている。「古琉球」は何回もくりかえしがえし読んで、今でも内は破れているが、ぼくの本棚の中央にデンと鎮座している。

「古琉球」は数ある沖縄本の中でもダントツの本である。伊波普猷全集にも収められているがなかなか手にとる機会が少ないのは残念である。ぼくは普猷先生の歴史研究を読んだが、この中の「オモロ」はぜひ読んでもらいたいと思っている。「古琉球」には「オモロ七種」がとりあげられている。

ふし名なし（巻10の24）

ゑ、け、あがる三日月や
ゑ、け、かみぎやかなまゆみ
ゑ、け、あがるあかぼしや
ゑ、け、かみぎやかなままき
ゑ、け、あがるぼれぼしや
ゑ、け、かみがさしくせ
ゑ、け、あがるのちぐもは
ゑ、け、かみがまなききおび

口語訳

あれ　天なる三日月は
あれ　御神の金真弓
あれ　天なる明星は
あれ　み神の金鏃ママキ
あれ　天なる群星は
あれ　御神の花櫛
あれ　天なる横雲は
あれ　御神の御帯

現在のオモロ研究では普猷先生の解釈に修正が加えられているが、三日月オモロの全体像はほぼ理解できます。

普猷先生はこの三日月オモロについて「至って単純であるが、さながらギリシャの詩篇を誦する心境である。これは多分われらの祖先が夏の夜の航海中熱帯の蒼空を仰いでスバルの燦爛たるを見、覚えず声を発してその美の本源たる神を讃美したものであろうと絶賛している。

もう一つ　オモロを紹介しよう。

ふへのとりのすし（巻7の35）

天にとよむ　大ぬし
あけもどろの　はなの　さいわたり
あれよ　みれよ
きよらやよ　ぢ天とよむ　大ぬし

解説

大地をとよもして　いまにも太陽が顔を出そうとしている。真赤な焔《ほのお》がうずまき、あたり一面の空を染めている。水平線を昇る瞬時の美しい太陽の情景をとらえ、「あけもどろの花」という独得の言葉で表現している。「あれよ　みれよ」と思わず息をのみ、さらに「きよらやよ」と感嘆の助詞を三度も発することによって美しい日の出への感動の極みを吐露している。

高教組編「沖縄の文学」

ぼくは仲原善忠先生の指導をうけ、またとない恵まれた環境にあって、オモロ研究に打ち込みたいと決心したこともあった。しかし正直に言えば、おもろさうし全巻を読みすすんでいくうちに、オモロ古謡の単純さ、単調さに当初おぼえた詩的興奮をおぼえなくなったのである。オモロのほとんどは神をたたえる歌で、ぼくは次第に興味を失っていった。オモロを文学として研究するぼくにとって語彙・語句の地味な研究には向いていないことがわかっていたからである。

おもろさうしにはいまだ解明されていない言葉が残っている。その語句の意味が解明されても、それらを検証する文献はおそらく出てこないだろう。いくら正しい答えだと信じても正解とする保証はないのである。

伊波普猷先生のような天才的な学者ならいざ知らず、ぼくには学問的素養が欠けていることを自覚したからオモロ研究から身をひいたのである。今後オモロの未解決の語意を解明できる人は言葉に対して高い霊力をもつ学者だけであろう。

とは言ってもオモロは沖縄が誇る、すぐれた古代歌謡である。多くの若い人たちがオモロに親しんでほしいとねがっている。おもろさうしは全二二巻、たくさんのオモロがあるが、そのすべてを勉強する必要はない。ぼくは沖縄人としてまた教養としてオモロを知ってほしい。ぼくたちが作成した「高校生のための副読本　沖縄の文学」は手ごろな入門書である。

書評

沖縄エッセイストクラブ作品集「長虹堤」を読んで

「長虹堤」を読んだ。第一集「蒲葵の花」いらいの読者のひとりとして、その快挙に心からの拍手をおくりたい。寡聞にしてよくは知らないが、一つの県でエッセイ集が一〇年間も刊行されているのは希有のことではあるまいか。

さてエッセイの楽しみは肩のこらない自由闊達さにある。いっさいの専門用語を使わず木綿や麻の生地のような肌ざわりの作品がいい。この作品集を読んでいると、いつの間にか作者のペンにからめとられて掌上にころがされてしまう作品、あるいは「なるほど」と目を洗われるような瑞々しい作品、そしてひたむきに生きる作者の姿に感動したり、読みながらにんまりと笑ってしまうような作品に出会う愉しみがある。

エッセイに対する概念は人それぞれであっていいのだが、沖縄のエッセイストはまだまだカミシモをつけた謹厳実直が多い。エッセイには喜怒哀楽の起承転結や序破急があっていい。なんといってもエッセイはソファーに寝転がって読みたいものだ。

ところで、こんどの作品集には一つ気になることがある。それは紀行文や旅行記が半分を占めていることである。紀行文には落とし穴があって、作者の感動の大きさの割には読者は冷めているからであり、どんなに作者が感動の気持ちをこめて紀行文を書いても、めったに作者と読者はその感動を共有できないからである。ヘディンのシルクロードの旅行記には冒険の中に新しい発見を見たのであるが、現代の映像の時代ではわずかな原稿用紙で読者を魅了するのは至難の業にちがいない。

私がこれからの作品にのぞむのは、徹底して沖縄にこだわり、沖縄のすべてを鋭く照射する作品をたくさん書きつづけてほしいのである。一〇年の豊かな実力は、きっと沖縄そのものを美しく紡ぎだしてくれるだろうから。

エッセイ

あなたはどっち？

少しむずかしい四字熟語ですが毀誉褒貶《きよほうへん》という言葉があります。その意は世評には褒めたりけなしたりする言葉があるということです。この言葉にまつわる二人の偉人の生き方についての話です。

まず初めに蔡温と名護親方の琉歌を紹介します。

蔡温の歌

褒めれそしられや　世の中の習ひ　沙汰《さた》ぬない者の何役立ちうが

歌意は「褒めたりけなしたりすることは世間の常識だ　世評のない者は何の役にもたたないぞ」

次に名護親方の歌は

誉められんしかん　そしられんしかん　浮世なだやしく　渡いぶしやの

—島袋盛敏「琉歌集」

その歌意は「褒められるのもイヤ　けなされるのもイヤ　人生は波風を立てずに平穏に生きたいもんだ」

右の二つの歌を比べてみると蔡温と名護親方の生き方が正反対であり好対照。両者のきわ立った生き方がわかります。英語ではコントラストと言うことでしょう。

もしも令和の今の時代に、那覇市久茂地の県庁前の広場で一〇〇〇人のアンケートをとったら　どんな結果が出るでしょう。興味津々ですねぇ。

そこで蔡温についておさらいしましょう。蔡温（一六八二〜一七六一）。今からおよそ三〇〇年前に琉球王府の三司官（総理大臣級）をつとめた人です。蔡温は久米村三十六姓の出身で具志頭文若、具志頭親方とも称します。独断専行もあって文人の平敷屋朝敏ら十五名を捕らえて処刑しています。その一方で、名護市羽地の大川を改修して農業の改革に力を入れて近代の偉大な政治家ともいわれています。

一方　名護親方も久米村三十六姓の七世で程順則《ていじゅんそく》・名護聖人と呼ばれる学者です。彼は中国に渡って学問を修め琉球にはじめて明倫堂という学問所を設立し学問をひろめました。彼が中国からもたらした「六論衍義《りくゆえんぎ》」は徳川幕府に献上され江戸時代庶民の教育テキストとして全国的に広まっていたのです。

この両者の業績を比べてみても甲乙つけがたいといっていいでしょう。

世界の文学史上にはハムレット型人間とドン・キホーテ型人間に色分けすることもありますが蔡温と名護親方はこの分け方にもあてはまらないようです。読者諸氏よ　あなたは蔡温派ですか。それとも名護親方派　どっち？

いま二〇二一年。世界はグローバル化し核兵器が増産され人類の生存をおびやかしています。まさに混沌カオスの渦中でモミクチャにされています。ゲーテ風に言えば疾風《シュト》怒涛《ラム》の時代を生きています。もしも「ペスト」の作者アルベール・カミュだったら「NON　NON」という言葉を発しつづけていたかもしれません。

わたしはこの時代を坐して黙って見過ごすことはできません。いまのわたしは若者に多くのことを期待しています。この話のつづきは若い諸君が書いてください。

エッセイ

沖縄産リンゴの話

ぼくが高校教師になりたてのころ、「沖縄産リンゴ　ついに成功！」と題して新聞に投稿したことがあったが見事にボツになった。おそらく内容が大言壮語に満ち誇大妄想のホラ吹き男の夢物語と思ったにちがいない。その沖縄産リンゴの主旨は沖縄でもリンゴが栽培されるようになった。したがって沖縄県はバイオ栽培に力を入れ、優秀なバイオ技術者をつくれということであった。「惜春賦」という歌に「春は名のみの風の寒さや　時にあわずて」とあるように時期尚早の話であった。

ところがである。先日の新聞（タイムス二〇二一・一・一六付）に「北海道で高級バナナ生産」という記事が載っている！　あれから五〇年、日本のバイオ技術の進化を示しているではないか。また岩手では「雪バナナ」というブランドで販売されているという。だったら「沖縄産リンゴ」ができても不思議ではないだろう。心がワクワクしてきた。さて沖縄のバイオ技術はどこまで進化しているんだろうか。現在のバイオ技術の到達点を知りたいのはぼくだけではあるまい。

沖縄は観光立県をスローガンにかかげている。沖縄観光の目玉は海。他県にはないすばらしいオキナワンブルーの宝の海がある。観光客は海でのレジャーを心ゆくまで愉しむ。そこで登場するのが海釣り。「一日楽しみたいなら釣りをしなさい」と諺にもあるように人間は男も女も釣りが大好きだ。

ぼくの結論を述べる前に、さきほどの「沖縄産リンゴ」についてふれておこう。リンゴは食材として多様な食べ方があって愛好される。しかし沖縄でバイオ栽培が可能になっても台風には弱い。収穫時期が台風の襲来と重なってしまう。現に沖縄のマンゴー農家は三年に一度や二度大型台風にあって甚大な被害をこうむっている。イチかバチかの危険がつきまとい、そのリスクは高い。アボカドやオリーブ栽培も同様なリスクをかかえている。台風の路を大きく右の方向にそらせるのは無理な話で不可能。

そこで沖縄の果樹にドラゴンフルーツがある。見た目も美しく美味である。このドラゴンフルーツは石灰岩のどんなヤセ地でも育つ。台風にもメッポウ強い。南部島尻の南城市・八重瀬町・糸満市の丘陵地帯はドラゴンフルーツの一大生産地になる。

最後にぼくの提言、いや秘策を二つ申し上げる。

その一つは南城市奥武島のスク漁のスク。スクはアイゴの稚魚である。スクはそのまま塩漬けにして島豆腐の上にのっけて食べるのが伝統的な食べ方だが、そのスク漁の半分は近くの養殖池で育てる。50㎝ほどの大きさまで育てて釣り場をもうける。アイゴのひきはチン釣りの十倍ほども強く、釣りの醍醐味があじわえる。釣ったアイゴは刺身と煮付けにする。ただアイゴは藻を食べるので独特の臭みがある。その臭みを消すために沖縄産野菜のイーチョーバーをつかう。いいえアイゴの臭みこそゴチソウという御仁はいっぱいいいらっしゃるはずだ。とにかくアイゴの煮付けは最高に美味である。

もう一つ。

羽地内海の鱚《きす》と鯒《こち》である。バイオ技術でそれぞれ二倍の大きさまで育てて、キスは江戸前てんぷらに、コチは煮付けにすれば美味。キスとコチの養殖のために今帰仁・羽地・大宜味沖に浮漁礁をつくる。もちろん沖縄北部だけではない。伊平屋・伊是名・伊江島・久米島・慶良間・宮古・八重山は視野の内にある。

このバイオ事業は沖縄振興の最後の切り札となるだろう。今こそ県民こぞってバイオバイオ　バイオ！

バイオは沖縄を救う！

「沖縄の文学」あとがき

私たちがこの副読本を読んでもらいたいのは、何といっても沖縄の高校生諸君である。現在の高校生は高校多様化の中で郷土の歴史や文学を学ぶ機会にめぐまれていない。これまで、私たちの沖縄が歴史的にも政治的にも不当な宿命をしいられてきたために、沖縄についての認識を拒否するか、あるいは蔑視する風潮があった。そのような姿勢の中には、たとえすぐれた世界の諸民族の文化を摂取《せっしゅ》するにあたっても、つねにある翳りをもたらした。したがって自分の国の文化をいまわしいものとして否定するところには真の文化が生まれないのもたしかである。現実にこの沖縄に生きる人間には沖縄の歴史を正しく知り、すぐれた文化遺産をうけついで未来を創造する責務がある。

しかも、この副読本の内容を読めばわかっていただけると思うが、沖縄の文学はたんに一地方の文学にとどまるものではなく、日本文学をより豊かにする、すぐれた内容をもつ古典文学なのである。わたしたちのこの古典文学は、沖縄の人々が、あらゆる自然の災害や外部からの抑圧に耐えて、歌いつづけてきたものであり民族の魂の美しい結晶である。

これまで沖縄の文学は研究が浅く、しかも言語が難解であるため専門家にだけ享受される存在でした。したがって学問的な定説にいたらない点もあるが、あえて多くの問題点を承知のうえでこの副読本を作成することにした。高校生諸君はこの副読本を手がかりにして、より深くきわめて沖縄の文化の発展に寄与してほしい。

代筆　喜舎場朝順

追記

高校生のための副読本「沖縄の文学」は六〇年代から七〇年代にかけて沖縄の各高校で実践

された。多くの成果が現場から届いたが、折からの受験競争の激化で実践活動の時間が奪われ、さらに現場教師の力量不足が重なって教育現場から「沖縄の文学」が消えた。

エッセイ

福地曠昭著　牲《にえ》―戦後米軍犯罪の記録　あとがきより

酷暑の夏を、「講和条約発効前における進駐軍又はその構成員による身体・生命に対する不法行為による被害」の申請書をたずさえて、沖縄中をかけまわった。この申請書は、一九五一年のサンフランシスコ講和条約が締結される以前に起きた米軍による沖縄県民の被害の補償を日本政府に要求したものである。

申請書の件数は、七五〇件にものぼる膨大なものである。しかし、その数字は、けっして正確なものではなかった。実際に現地調査をしてわかったことは、多くの被害者が補償を申請していないという事実であった。

沖縄戦が終わって、二、三年たったころ、若くて美しいN子先生は、那覇市の自宅から二キロ離れた近郊の小学校にかよっていた。いつもは近所に住んでいる男の先生の自転車に相乗りしていた。しかし、ある日、学級の仕事が残っていたので、やむなく男の先生には先に帰ってもらった。夕暮れまもないころ後片付けを終わって、N子先生は、白いスーツでは目立つと思ってわざわざ米軍服を改造した服に着替えて、帰途についた。そして、ちょうど半分の道のりの坂の途中で、GMCトラックに乗った数人の黒人兵に襲われ、暴行を受けた。

翌日、N子先生は首に白い包帯を巻いて登校した。上級生の話では、N子先生は勇敢にも黒人兵に抵抗したために難をのがれたということであった。しかし、二、三日過ぎると、N子先生の姿は永久に児童たちの前から消えてしまった。

これらの申請書の中には、N子先生の事件はどこを探してもない。このように自らの名誉や地位のために、また二度とあのような悪夢を思い出したくないために、申請がなされていないのだ。とりわけ婦女暴行やそれに類する事件の場合、ほとんど申請書にはあらわれてこない。

また、私は、目ざす証人を求めて島の街や村を探し歩いた。しかし、とうとう証人を探すことのできなかったケースもいくつかある。米軍によって射殺され、轢殺され、辱められて殺された被害者はもちろんのこと、その目撃者である証人さえもいまは他界し、あるいは住所不明となって調査不能となった。その中のあるものは永久にその証言を聞くことができないであろう。

申請書は、おどろくべき簡潔さで事件の概要を伝えている。

第一項に申請者の氏名と本籍、現住所と被害者との関係の欄があり、第二項には被害者の氏名、所番地、生年月日、既往身体障害は異常の欄がある。第三項には被害発生の日時、場所、加害者とその所属部隊名、申請理由の欄である。この申請理由欄には、横書きで六行百字程度の事件概要が記録されるようになっている。第四項は申請額で、療養補償、休業補償、傷害補償、遺族補償及び葬祭料が、ドルで標示される。第五項には証人の氏名と所番地が記録され、第六項で被害者が死亡した場合に遺族の氏名と生年月日、被害者との続柄が記される。

いったいいたかだか一〇〇字程度で、どうして刺し殺され、焼き殺され、殴り殺された人々の事件の真相を正しく記録することができるだろうか。

この申請書の中の事件概要の記録には、事件を潤色するような修飾語はまったく使用されていない。しかし、そのような事務的な、ひからびた文章の底に被害者やその証人たちの悲しみや苦しみが流れていることを見落としてはなるまい。この短い文章の中には、過酷な米軍占領下のもとで受けた沖縄県民の屈辱のドラマがかくされているのだ。

私は、米軍家族の少年に脊椎を射たれ、二五年間も車椅子で生活しているY子さんをたずねた。中城湾に面した砂糖キビ畑の中の農家だ。庭で畑仕事の準備をしている老夫婦に来意を告げると、「Y子は人に会うのをきらっている」といいながらも、離れのアシャギ（別棟）に入って、Y子さんに面会するようすすめている。しかし、どうしても会いたくないという返事だった。私が一時間近くも待ったあと、ようやくY子さんは会うのを承諾してくれた。

四〇歳になる車椅子のY子さんは、少女の面影を残した美しい顔だちであったが、その目は険しかった。怒っているというよりも人間不信に満ちた目であった。彼女はポツリポツリ冷静に事件を語った。そして彼女は、最後のところで防衛施設庁の補償査定の不当性をなじった。彼女は戦災孤児で、伯父の老夫婦にすべての面倒をみてもらっているのだ。

二五年間も車椅子の生活を余儀なくされているY子さんのように、被害者たちが防衛施設庁からうけとった補償額は、わずかなものであった。ホフマン方式どころか、防衛施設庁の査定は一方的で、少額であった。しかし何よりも多くの罪のない沖縄県民が蒙ったもろもろの被害を、わずかな補償でつぐなうことができたであろうか。

また、私は、幼い娘を米軍の車輛に轢殺された婦人を基地の街コザ市（現沖縄市）にたずねた。その婦人の証言は、苦しみに満ちた沖縄の婦人の苦闘の歴史であり、また米軍占領下の沖縄県民のたくましいヒューマンな闘いの歴史そのものであった。米軍占領下の多くの事件は、芋づる式にたぐりよせられ、それらは相互にからみ合い、米軍占領体制を浮きぼりにした。

どの事件の証人にも共通する特徴であるが、証人たちは、いきなり事件の説明からは始めなかった。彼らは、いちように沖縄戦から話しだした。どこどこに逃げ、避難し、どこで捕虜になったと……。彼らの捕虜収容所は、羽地村田井良であり、宜野座村の惣慶、漢那であり、美里村のインヌミヤードイであり、玉城村百名であった。

とりわけ日本軍に対する憎しみは強かった。沖縄県民から食料や衣服を奪い壕を追い出した軍隊こそ帝国主義軍隊の本質を示してあますところなかった。

私はまた、夫を米軍に刺殺された老婆を首里の城下町にたずねた。みせしめに腹を切り裂かれて殺された。この老婆を戦後の祖国復帰運動や平和運動のデモの中に見つけた人は多いだろう。この老婆にとって、ベトナムやラオスやカンボジアで耳を切り落とし、毒をのませ、腹を切り裂くアメリカ侵略軍の行為は決して他人ごとではないのだ。老婆にとって戦争を憎む気持ちは、同時に平和を求める行動と完全に一致した。

私は、米軍犯罪の生き証人を求めて、沖縄本島をはじめ離島までも足を運んだ。しかし、その調査は十分ではない。今後とも戦争への憎しみと戦争につながるいっさいのものに対して、告発をつづけなければならないだろう。

（喜舎場）

一九七七年

取材者　池宮正治（琉大教授）
島　津与志（作家）
喜舎場朝順（教員）

エッセイ

作家・井上ひさしに学ぶ

ぼくも文学を志す端くれのひとり。文章の師と仰ぎ尊敬する作家がいる。そのひとりが井上ひさしであり、もうひとりは小説家の池澤夏樹である。池澤夏樹については拙著「新沖縄風物誌（P210）で書いたので、ここでは井上ひさしに限って、ぼくの熱い思いを述べることにする。

小説家であり劇作家・エッセイストでもあった井上ひさしは二〇一〇年に逝去した。文学史上では「日本のシェイクスピア」とも「言葉の魔術師」とも呼ばれ、エッセイでは「風刺とユーモア」の作家と評された人であった。長編小説「吉里吉里人」「四千万歩の男」を書いた作家だよといっても思い出せない人もいらっしゃるにちがいない。そこでＮＨＫ子ども番組「ひょっこりひょうたん島」の曲を聞けば、すぐに思い出すことができるでしょう。

彼の作品に「不忠臣蔵」という小説がある。忠臣蔵といえば武士道精神の鑑として国民的な話題として映画や芝居で上演されている。江戸は元禄。赤穂藩の浅野内匠頭《あさのたくみのかみ》が江戸城中で吉良上野介に対して刃傷事件をおこして赤穂藩はお家断絶。残された大石内蔵助を頭に四十七士の浪人が艱難辛苦の果て、ついに主君の仇敵を討つ物語。物語の主軸をなす忍耐と仇討ちは日本人の琴線にひびき、その英雄的な快挙が国民の絶賛をあびるのである。

ところが井上ひさしの「不忠臣蔵」はそれとは真逆の話で四十七士に加わらなかった浪士たちの人間味あふれる姿を描いているのである。「不忠臣蔵」を読んだときの衝撃的な感動はいまだに鮮明に残っている。

もう一つ。短編小説「四十一番の少年」がある。カナダ人牧師の養護施設の中で生きる少年を描いている。読後、感動のあまり涙があふれ出て、しばしとまらなかったことをよくおぼえている。小説の神髄とはこういうことをさすのであろう。

また、エッセイ集「ふふふふ」（講談社文庫）は読んでタメになる本であり、おもしろい。日本国憲法は世界に誇れる平和憲法である話。東京空襲の真実。歴代つづく政治家の失言集。これらのエッセイは今日でも色褪せることなく、その観察眼や洞察力は光っている。風刺のパンチも的確で読んでいて胸がスカッとする。ところどころ散りばめられたユーモアやペーソスのスパイスもほどよく効いて読者はホッとする。

ぼくが井上ひさしを師と仰ぎ尊敬する原点となった言葉。

「むずかしいことをやさしく　やさしいことをふかく　ふかいことをおもしろく　おもしろいことをまじめに　まじめなことをゆかいに」と。

この言葉こそ読者に責任をもつ文学者の至言ではないだろうか。できることなら　この言葉を煎じて飲んでみたいと思うのである。

現在の新聞ではあまり見うけることもなくなったが、沖縄問題を論じる際にわざと難解な言葉を多用して読者を混乱させる評論家がいた。難解な哲学用語の目つぶしを投げつけられると当初はたじろぐこともあったが、もうダマされることはない。

沖縄問題には明快な構図がある。

日本の軍国主義者が対米戦争をおこし、負け戦だとわかると沖縄を本土防衛の島にした。そのために沖縄県民は未曽有の犠牲をしいられてきた。アメリカ軍は「沖縄は血であがなった島だ　絶対に手ばなさないぞ」と占領し武力をもって米軍基地を拡張してきた。歴代の日本政府は対米従属し、米軍による事件・事故に対しても知らんぷり。沖縄は狼が羊の番をしている島になっているのである。

文学者は沖縄問題にどう向きあっているのか。その一例。石田衣良の小説を読んだ。東京の若者の群像を描いて将来楽しみな小説家だと思っていた。ところが彼のエッセイ集を読んで幻滅したのである。彼は辺野古基地をとりあげ「日本の防衛のためには地政学的に見ても日本国防にとって必要である」と言い切っているのである。長ったらしい反論は必要としない。作家やジャーナリストは反権力であってこそ真実を語ることができるのである。おそらく石田氏には人間味あふれる作品はつくれないだろうと思っている。

井上ひさしの文学はすばらしい。彼の文体には美辞麗句はない。だれでも真似できるものではない。少しでも井上ひさしに近づきたいために洞察力を高める努力をしていきたい。読んで「タメになる　おもしろい　苦スと笑う」はその一歩。

昨年「岩波書店」から井上ひさしのエッセイ三部作が刊行された。多くの読者に愛されていることがよくわかる。

美術評論

画家・宮城和邦私論

―大純粋人よ　ラオコーンの悲しみは　癒されたか―

一九八四年の早春、宮城和邦の最初の個展がひらかれたが、彼の強烈な個性に多くの人びとがはじき飛ばされたものである。とくに個展会場正面の「ロボットもぐり総理大臣よ　めざめよ」というピンク系の大作は、のっけから観る者に身をのけぞらせるほどの驚愕をもってむかえられた。

一九六四年ごろから宮城和邦の絵は大変貌をとげる。それ以前は沖縄闘争に支持を表明するプロパガンダであったり、あるいは沖縄のプリミティブな信仰の解釈と鑑賞であったりした。このころから日常の生活で寡黙になった分、タブローにおいては饒舌になってくる。人生の過酷と孤独が画布ににじみ出てくるのもこのころだ。作品のタイトルを見てもわかるとおり、タブローの中に過去の原罪が文学となって登場し、やがて「現父」や「長距離人」や「願人」「究極人・解放者・予言者」と昇華され、大宇宙民俗によって包攝されていく。彼の創造のシグナルからは、たえず大宇宙へとメッセージが発信されるから、これらの人物たちにはすべて「大」という文字が付与される。これらの人物たちは歯車やロケットによって連環し連鎖して大宇宙に君臨する。

彼の物語の世界観は、人間が人間として正当に評価されないことに対する怒りが語られ、この期におよんでもなお地球を再々分割し私利私欲に目のくらんだ帝国主義者に対する獅子吼《ししく》がある。「古代人のアトリエよ　めざめよ」「絵画民族よ　めざめよ」などの作品はこの系譜にあたる。「めざめよ」と警鐘を乱打するこの画家は正統派の大予言者を認じているがゆえに、時代認識に齟齬が生じて、風刺のパンチよりも滑稽感がただよってくる。「めざめよ」というプロパガンダは、チリの詩人パブロ・ネルーダや「間島パルチザン」の槙村浩の時代にあっては警世の詩句となりえたのであるが、今の時代ではブーメランのように画家の胸底を刺す凶器と化してしまう。やはりタブローの中に物語性の象徴として文学が登場する過程は彼にとっては必然性をもっていたのであるが、いまこそ文学との同性愛をたち切り、みずからの芸術性の深化によって淘汰されるべきである。

宮城和邦の絵の題名には長ったらしい文学が多い。これは彼が若い詩人であったときの傷跡が尾をひいているからであろう。彼の詩は沖縄の夜の闇と夜明けの光りがうたわれていた。

しかし絵画に文学の文字を多用してはならない。「超大脳憲法総裁よ　永遠に前進せよ」はその見本だ。タブローに文学を入れることは自らの絵画性の貧困を意味するからである。芸術はいっさいの「説明」を拒否するものだ。タイトルは「作品A」「作品B」でよいのである。絵画は鑑賞者の審美眼にゆだねよだ。余計な饒舌はいらない。ぼくの造語では、このような絵は「志高手低」という。想像力は豊かであるがその表現力がともなっていないことを意味する。

地底をうがち大宇宙を疾駆する大飛来人たちは六〇年代には柔和な相貌をもって登場するのであるが、八〇年代になると、懐疑に包まれて憤怒し、妖怪に変じて狂気さえおびてくる。そこには、あのラオコーンの悲しみがただよっていた。ギリシャ神話の中でアポロン神殿の司祭であったラオコーンはトロイア戦争のときアテネの怒りにふれ、二匹の大蛇に二子とともに絞殺された。その苦悩する影像が今に残っている。そのラオコーンの悲しみをひとりで背負っているとは思わないでほしい。深刻な迷妄をふりはらって、もっと多くの未来を語ろうではないか。宮城和邦はいま混沌からびしょびしょに濡れたまま這い上がってきた。長い暗いトンネルの果ての曙光《しょこう》を見たい。

右の文章は、宮城和邦の個展を観た直後、私信として、励ましの気持ちをこめて彼に贈ったものである。

そしてことし一九九〇年一月、名護市主催の「あけみお展」において、彼は自らの新しい地平を見せてくれた。彼の「最終人連合の最終着地宣言」は大賞にふさわしい大作であった。かつての懐疑や憤怒は影をひそめ、沖縄の海の再生とその豊饒をねがう大合唱はシンフォニーとなってキャンバスに踊っている。彼のタブローの物語性は相変わらずであるが太陽の花たちはしっかりと咲き誇りサバニをこぎ大海神の大漁旗をかかげもち、海の幸を招来する海人たちは、明るい黄の幾何学模様の精緻に支えられて、壮大に統べられている。

たしかに宮城和邦の世界は空前絶後というにふさわしい。彼の絵はなにびとも真似することのできない追従をすることも許さない独自の境地にある。

それは彼の創作活動においても垣間見ることができる。生活の命綱である教職を三〇代にして断ち妻をめとらず、すべてを絵画と詩作にささげようとするこの純粋人は今日も陋屋に身をひそめて創作に余念がない。たつきの手段としての売れる絵を描かせようと諮ってみてもアサッテの方を向くだけだ。彼の絵はどんな大作も画商に買われることはないであろう。この愚直こそ宮城和邦大純粋人の勲章なのかもしれない。絵に富貴のひとかけらさえも求めず、矜持をもって孤高に生きる宮城和邦の世界は、いつの日にか美しい光沢を放つ存在として沖縄の画壇に正当な地位を占めるものと思われる。

「脈」1990・9・30 第41号

第四章　小説

小説

暗い花

I

信子が目をさましたとき、太陽はすでに高くあがっているらしく閉めきった雨戸の穴から流れる光線の束は微粒子が青っぽい煙のようにゆれていた。鉄製のベッドの汚れたシーツに腹ばいになり、ハッカのタバコを深く吸い込んだが空虚な脳裏に重たいものがあった。それだけでなく吐気をおぼえた。近頃では痛みを耐えることでさえ大変なことだった。

疲れていた。

昨晩、ジョーと信子はしたたかに酒をのんだ。ジョーは皮ふの色が黒く肩巾がゆたかで、そのうえ鼻がひしゃげていたので拳闘選手に似ていたが、気性はおとなしかった。

「ジョー、わたし靴が欲しい！買ってね。安ものはすぐ駄目になるからさ」

「フユ……」ジョーは眼をほそめただけで、はいともい、えとも言わなかった。信子は別に靴が欲しいとも思わなかったが、ただ気がかりなことは一週間ほど前、ジョーから三千円そこそこの受けとった金が、一カ月分の家賃と食費代を払うと幾らものこらないということだった。まして田舎の母にくどくど言われた二千円の金をもって帰るだけの余裕などある筈がなかった。

「信子。君はいつも金、金、金だ。だがね、僕のペイはあれで全部だ……。ノースエーノースエー」ジョーは信子の方を膝に抱きあげ、グラスの酒を彼女の唇におしつけた。

「ノー、ノー」彼女は彼の黒い手――それは磨きのかかった光沢のある手だったが――

から逃れてベッドの足につかまりながら、彼の顔をみつめた。ジョーの眼はふざけあっている子供のような不満の色をたたえていたが、狡猾なものではなかった。

そのことが信子自身にあるいらだちを感じさせた。ジョーにとって必要なものは信子の体だけだろう。彼が金に関して無関心をよそおうその寛容さは、はたして彼らの楽天性から来るものだろうか。いやけして、それだけではない。それを裏返してみるとき、そこには彼らの優越意識がぷんぷんしている。

信子が今更ながら思うことは、汚れた行為とはいえ、彼らとの話し合いや行為のなかに人間対人間の絆が強者と弱者とにちぎれてしまっているということだった。前の男も、その前の男もそうだった。マイ・ペット。彼らにとって女はそれ以上のものではない。しかしジョーに関しては信子は不思議にもそれほど感じなかった。

「ミチ公は五千円ももらって」しかし信子には言えなかった。ミチ公は南部のY町から来ている信子の親友で白人オンリーだ。

「どうして泣いてるんだい、ノブコ。アイ、ラブ、ユー。アイ、ラブ、ユー。明日、K

へ映画を観にいこうか……靴も買ってやろう」

　ジョーは信子のとがった頬に接吻した。彼は酔いのさめた信子を抱いてベッドに横たえた。そしてジョーが酔っぱらうと、いつもそうするように、首をちぢめて、恋人に囁くような嗄れた声で――ミシシッピーの船着場の酒場の娘が体がふとっているが美人であること、戦争がなくなると、すぐ、娘の所にいき、結婚を申し込む――ことについて目をつぶったり、手をふったりして話すのだったが、「その娘《ダーリン》はあんた《ユー》と同じ《セエム》皮ふなの？」信子は口まででてきた言葉をかみつぶすのだった。

　信子にはミシシッピーがどこにあるのか、そしてあちらではこの島の人たちと同じように働く仕事がなくて貧乏しているのか、それとも仕事はなくとも飯が喰えるのか、信子の想像もできないことだったが、ジョーが船着場の労働者だったと言うことはいつも聞いているうちにわかってきた。信子はうとうとまどろんだ頭のなかにジョーの鼻歌を聞いた。その鼻歌は暗い室のなかの空気が重くたれこみ、目覚し時計の音がやんで、その文字盤がだらりと、むしろの上に流れ、あきらめに耐えるような悲しいものだった。

悲しみを悲しむまいとする——。

ジョーはその歌を綿つみ畑のなかで父から習ったのだろうか。それともミシシッピーの船着場の労働者の仲間のうたうのをおぼえたのだろうか……。

今日も田舎には帰れない、と思った。その前にミチ公からお金を借りておかなければならない。彼女は母のウトの来るのを待っていたが、この二カ月間、母は訪ねて来なかった。ウトは来るたびにいくらか無心した。一週間ほど前、弟の新吉から、ウトが長い間寝たっきりで信子のところにはこれないから信子自身、田舎に帰ってほしい、という意味の手紙を受けとったが、それはお金をもって帰れということを意味していた。

信子はタバコを菓子皿にもみ消して枕に顔をうずめていると涙が流れた。何が悲しくて泣いているのか信子自身にもわからなかった。彼女はベッドから這いだして、キュースの水をそのまま口をつけてのみ、野球選手のブロマイド付きの鏡をのぞいた。

醜い顔だった。

赤茶けた髪をかき上げてみたが、頬のとがった顔はかさかさして皮ふのなかから黒いシミがでていた。喉仏が男のようにつきでた首は疲労のいろをいちじるしくさせ、やせているようにみせた。

信子はグキリと石斧でなぐられたときのように驚いた。「もし……だったら」そのことばを口にするのが恐ろしく信子は鏡をふせて、おろおろ虚空を眺めた。両手を胸におしあて手指をポキポキ鳴らす彼女のふしくれだった手は百姓女の手であり、百姓女の土の匂いが消え去ってはいなかった。乳房におおわれた肺の袋がおしつぶれて空洞のようにがらあきしているのではないかと思った。指でつつくと惨めなひびきがあった。彼女は足の関節の疲労感、痰が多くなったこと、腰の痛み、食欲の不振などがその自覚症状なのではないかと思いめぐらした。

信子が雨戸を開けると十月のおそい朝の太陽がまぶしかった。

向いの小高い丘陵の巨大なガソリン＝タンクや緑の絨たんの芝生のなかに、ゆったりと余裕をおいて白いビルの兵舎がぎっしり海岸沿いに北の岬まで続いている。その窓ガラスの光の反射の束が今日の暑さを思わせた。

「ミチ公のところで遊んで昼からKにはでかけよう」ミチ公はハウス・メイドのとき犯されて、ずるずる一年半位N市で同棲していたが相手は赤髪の女の子をのこして国に帰ってしまった。ミチ公はその子を親元にあずけて三ヶ月前からここに来ていた。

信子はミチ公の間借へ行くために、タアルの軍用道路にでて、ガソリン＝スタンドの角を曲り、タイヤ修理所や洗車場が両側に並んでいる石ころ道を過ぎ海岸に向って田の畔を歩いた。田のあちらこちらには砂利を埋めたてて出来た真新しい赤瓦の屋根がつらなっていた。それは全く奇妙な風景だ。

枯れた古株の稲田や芋畑と湿地帯のあちらこちらにある赤瓦屋根の家々は〈敵から自由を守るために〉畑をなくした百姓たちが三度目に落ちついたところだった。

これは全く立派な家だなあ――しかし、その移住者の百姓たちは「立派な赤瓦の家」には住んでいなかった。「立派な家」の裏庭や台所とつづきのトタン屋根が、この〈立派な家〉の主人たちの住んでいるところなのである。だから「立派な家」は四畳半の個室に分けられ、窓からは黄色っぽいブラジャーや色とりどりのドレスがはためき、夜はバーになりキャバレーになった。

ミチ公の雨戸はしまっていた。まだ寝ているのかしら、と思った。

「ミッちゃん、ミッちゃん」

信子は二、三度続けて、たたいたが、中からは何の物音もしなかった。彼女は鍵のかかっているのをみつけると、バツが悪くなって苦笑いしてしまった。そのとき、筋向いの家の窓から流れてくる古い流行歌が止んで窓から顔がのぞいた。サー子だった。

「ミッちゃん、どこに行ったか知らない？」

「知ってるわ。信ちゃん、おいでよ」

サー子は信子に笑いかけたが、サー子の眼は屋根の上の獅子像に笑いかけるみたいだった。サー子はすがめだったから。

「教えてあげるわ。コーヒーが湧いてよ。ねえ、わたし独り居ると淋しくてやりきれないの」

サー子は懇願するように身をのりだして言った。信子はサー子などとかかずらわっていたくもないほど他人と身の上話をするのが苦しかったが、ミチ公が居なければお金の相談もできないし室に帰るのはまたつまらなかった。

信子はサー子と並んでベッドに腰をおろした。小型の鏡台の上にのせてあるコップはどれもこれもタバコの吸いがらがつまり柱と板壁の間にはみかんやバナナの皮が散らかっていた。

「ミチ公ね、今朝ハリスが迎えに来たの。Nビーチに水浴だってさ。ミチ公たら昨夜から水泳着を借りに大騒ぎだったの。それがひどく、だぶだぶでしょう。おっぱいがこんなにベシャンコで、フフ……。」サー子は独りで笑った。

「でもね。Nビーチって外人専用でしょう。できるかどうかミチ公が可哀そうね。……でもミチ公、景気がいいんだね」

「それが一番危いわ」サー子はきっぱりと言った。

サー子はコーヒーを信子の手に渡して信子の顔をみつめて、あなたにだけよこんな話をするのは、といっているみたいに手を信子の顔の前につきだした。

「わたし、指環を買ったよ。これ高いのよ」

「指環を買ってなにするのさ。それとも結婚？」

「これ財産よ、わたしの」

二人はルビーの指環を黙って眺めた。信子はふざけて言ったのだが、「これ財産よ」というサー子のことばは胸にこたえるものがあった。信子は希望のない暗い生活がいつまでも続くのか、またなぜこんな生活をしなければならんのかわからなかった。父がいないせいだ。いや戦争のせいだと思ったがそれ以上考えてみたことはなかった。帰り道、やっぱりサー子なんかと話すんじゃなかったと後悔したが、

「わたし、アメリカに行くのよ。いま本籍をとってきて、渡航手続きをしているの。向う行けばなんとかくらせるとは思わない？」と言った先島訛の強いアクセントの声とすがめの笑い顔が信子の眼の前にちらついた。

Ⅱ

Kは島の中部にある繁華街である。それは街を南北に縦断するアスファルトの軍用道路に沿ってできた戦後派のほこりっぽい汚い街でスウベニア、映画館、外人商社、バー、遊戯場、屋台、娼家が雑然と並びペンキの横文字の看板をかけている。ハイカラなビルの裏にかくされている軒の低い無数のバラック。道にはきだされた皮ふの違った男や女たちの群。レストランのベンチの側に立っているGI刈りの若い男がガムをかみすてながら床屋の鏡にうつる女の胸部をのぞきながら手をたたいている。

街ははなばなしい表情があったが、製材所のいきのいいベルトのひびきも、重油のひたったナッパ服の男もなく、ひどく頽廃的でだるそうな感じがした。

信子はジョーの後にくっつきながら、始終足のはこびぐあいを気にしていた。彼女はオレンジのツーピースに首には青いネッカチーフを結びつけていたので、それは全く贈り物の七面鳥に似ていた。ジョーは彼女の足どりを気にして手を結んで歩こうとしたが信子は承知しなかった。なおも信子の足どりをジョーは気にしながら笑っていたが舗路から下りると同時にとうとう信子の腰がへたばってしまった。足をくじいた。ジョーは白い眼と白い歯をむきだしにして「あっははは」と笑いこけ、急に神妙な調子で腰をかがめ彼女の手をとった。その物腰はマガジンの広告にでてくるような白い帽子をかぶった老いたコックに似ていたので、ぷりぷりに怒った信子も苦笑いしてしまった。

映画館はニュースの終わったところで観客はほとんどＧＩと若い女のつれだった。

「うちのトーニィね、グレゴリー・ペックに似ていない？」

「そうね、でも目が違うさ」

「ほら、向こうの柱の横に坐っているのは豊子じゃない？」

「まさか豊子は中央病院に入院しているらしいわ」

「また肺なの？」「ぶり返したんだろうさ」

信子の隣りで若い女たちが話していたが、信子はかりん糖をぽきぽき鳴らしながら映画の予告をぼんやりみていた。映画が始まって女たちの話し声が止んだ。

ジョーの手が信子の手をにぎった。

スクリーンは西部へ西部へと前進する白人のほろ馬車の一隊だった。その隊長格はグレゴリー・ペックだ。そこへ或る日、美人の酒場の女と鑛山の山師があらわれ、その女はほろ馬車の女たちに白眼視される。ペックと山師の格闘の末、ペックが相手を殺してその女を独占する。そこでほろ馬車の一隊のもっとも困難な問題があった。それは第一に高原を越えることであり、第二にはその高原には自分たちの土地に一歩もふみこませまいとするインディアンの一族が自分たちの土地を守っていることだった。

ほろ馬車の男たちの主要な任務は夜明けとともにインディアンを一掃することであった。勇敢なる隊長格ペックは単身インディアンの居城にのり込んで、「偉大な開拓魂」でもって、飛びちる矢のなかをついてインディアンを討ちインデアンを銃尻でなぐり殺してインディアンを湮滅させ、ほろ馬車は西部の沃野をめざして進み、緑の沃野を背景にして、ペックと酒場の女は息のつまるような長い接吻をし合い、ほろ馬車の女たちが二人を祝福する……。

そのところで映画は終った。

インディアンはなぜほろぼされねばならないのか、インディアンの必死の防禦、恐怖に死んだようなインディアンの老婆、崖から落されるインディアンの若い男、馬から落ちて馬にふみつぶされる男たちの顔をみると信子は無性に腹がたった。それにしても、なぜインデアンはあんな映画に出演するのだろう。ひどく胸糞が悪かった。

ジョーと信子は電燈のつき始めた大通りから露地に入り〈スワン〉と看板のかかっている、うす汚いバーにいった。狭いバーのスタンドにはジョーと同じ皮ふの男たちが、五、六人の女給とふざけていた。

「ヘイ、ジョー。どこにいった。君の女はべっぴんだね」

「シュアー。図体がすばらしい七面鳥に似ているだろう。それに眼がすばらしい……。だけどよく泣くんでね。いつもふさぎ込んで蛇みたいだよ。笑ったことがない」

ジョーは仲間の前で信子に接吻した。信子はジョーのするまま黙ったビールを飲んで彼らととり合わなかったので、ジョーの仲間はまた女給たちとふざけ合って笑い声が止まらなかった。

帰りは部隊前でジョーと別れた。一人で歩きながら、またしても映画のインデアンの男たちの顔が思いだされた。それは信子の胸にいやらしい記憶をよびおこした。七月なかばのあの暑苦しい夜明けのむごたらしい光景――あの夜明け前。信子の間借の家の向いの軍用道路にひしめきあって怒りにふるえていた男や女たちの顔。バラ線のこちら側に追っぱらわれた人たち。タイホされた若者――信子はこの眼でみた。すべてのものが奪い去られようとしていることに対して最後まで打ち鳴らされた、あの夜明け前の鐘の乱打がまたも信子の耳のなかに高鳴った。

「ペックって、色男なんだわ。ペテン師!」と信子はつぶやいた。ガソリン＝スタンドの前を通りながら、明日はどうしても田舎に帰ろう、と思った。しかし部落の人たちの沈黙の風景を思いだすと、漠然とした恐怖感が胸をついた。信子が今まで田舎に帰ることをしぶっていたのはこのことだった。

信子は弟の新吉をこの世のなかで一番深く愛していた。弟の新吉はまだ二十歳にはならなかったが、たくましい肩をもっていた。

Ⅲ

信子は一時間もバスにゆられ、やっと半年ぶりに、バスは砂糖きびの植えこまれた南部らしい貧乏な、泥臭いいくつかの部落の石ころ道を過ぎて、信子の部落の堀割のバス停留所におりた。

丘の向うに陽が沈んで、そこだけが赤褐色の夕映をびっしり浴びて樽森のススキが燃えていた。部落まで二十分はかかる。

信子は堀割の道を行こうかと思ったが、彼女は樽森の方に足を向けていた。とにかく彼女は誰にも会いたくなかったし部落の人々の口にのぼるのが怖かった。

樽森を尾根づたいに部落の裏手に通じる山道は両側ともススキが、おい重って繁っていた。ところどころに口のあいた亀甲墓やまだ新しい土まんじゅうの墓があり、くわでいさの大木があった。

戦で、乱伐された地肌からは味気ない赤土が鈍重な、恥らいもなく、おっぽりだされた表情だけで、そこには昼でも暗い赤松の鼻をつく樹脂の匂いも赤い腹をみせながら怠儀そうに草陰に隠れるイモリもなかった。幼い頃まで龕《ガン》が納められていた屋根のない石屋はススキでおおわれていた。

道は泥濘がひどくなり、信子は牛糞の上にいくども足をすべらせた。相思樹の林の間から暮れのこる眼の下の方にムカデの這いつくばったようなカヤぶきの小学校の校舎がひっそりとしていた。

ジェット機が轟音をふいて信子のうえを飛び去った。

信子は坂を右に折って部落の西端に出て川向うの家並がみえると、ほっとした。

信子が家の土間に足をみに入れたとき石油ランプの灯がカマドのススの濃い煙におおわれ、家のなかは、がらんとしてひっそりとしていた。

「おっかあ、おっかあ」

信子は何らかの反応を期待していたが駄目だった。ナベの芋がぷつぷつ白い湯気をふいた。

彼女は竹製のハンドバックと風呂敷包みを土間において土間のゴムゾウリをつかみ井戸端にでたとき、山羊小屋の側の暗がりで黒いものが動いたが、信子がふり向くと、それはそのまゝ動かなかった。

「だれ、民子?　幸夫?」信子は幸夫が逃げ腰になっているのをみた。

「幸夫だったの。こんなくらいところで何しているの……新吉もおっかあもどこにいった?」

彼女はとがった頬に笑いをつくって言ったが幸夫は黙って姉の信子を凝視していた。幸夫が赤錆びた顔をこわばらせて、せっせと片づけているのは砲弾の破片や金網の切れっぱし、缶詰の空缶などのスクラップをザルに入れたり取り出したりして今日の収穫を確かめていたのだった。

信子が芋ナベの汁をとり芋をザルにうつしているところに母のウトと民子が枯れたススキの大きな束を頭にのせて帰り、続いて山羊の草を背負った新吉が帰ってきた。

「信子元気だったかい。それで仕事は今日は休みだったんだね」

「ウン……」母のウトは仕事ということばを使ったが、それは幸夫や民子に信子のことを秘密にしていたからであるが、彼等は敏感にもその秘密を知っていた。幸夫が学校をサボるのも〈パンパンの弟〉と言われるのがつらかったからである。

「何か変ったことでもあった？」

「……この家も白蟻にやられてさ。今のうち柱をとりかえんことにはあ、台風にはひとたまりもないって前田のものは言っとるが、先だつものは金さ」

「そうね……砂糖はどう？　今年は台風もないと言うし豊作だろうね、新吉」

「豊作どころの話じゃねえよ。ちっぽけな畑がいくらもなるもんか。それよりゃ農業会に払う肥料代が大きいよ。それに……」

「おっかあ、よせったら」

新吉は姉のとがった頬をみあげながら言った。信子はウトがいつごろからこんな人間になってしまったのか思いだせない。ウトの黄ばんだ顔をみつめているとウトの病気は心臓病か十二指腸虫に違いないと思った。信子はハンドバッグからサイフを取り出して二枚の紙幣をウトの膝におくと、すばやくウトはそれをつかむようにして着物の下に隠した。

「ありがとうよ」信子は、これはミチ公から借りて来たのよ、とは言わなかった。

晩飯は芋といわしの缶詰の汁で親子のまれな顔が集り、新吉はふざけて、みなのものをひきだてようとしたが笑いは長くは続かなかった。信子は黙って汁をのんだ。

「で、今晩はとまっていくんだろうね」

ウトは口をもぐもぐ動かしていたが、それは言葉にはならなかった。信子は信子自身が静かな池のなかに投げ込まれた小石のように、この家の安定——悲しい安定とも呼ばれるような水面をかきみだす侵入者なのだろうかと思った。この家にとって信子の存在は信子が居てはいけないということを意味した。

新吉は悲しい顔をあげて、もう一度姉のほゝのとがった顔をみつめた。新吉は何といってよいものか見当がつかなかった。

飯がすむと新吉は仏壇から表紙のすり切れた本とうすっぺらなガリずりのパンフレットを腋にかゝえて土間のゾウリをつっかけた。

「吉、行くでねえぞ。お前みたいな若僧が行くところじゃねえ。店の達なら知らんけど……お前また前田の親父に油をしぼられるどう……」

「それあ俺、若僧だろうけどよ……小学校のN先生、若いんだけどいゝことを言うんだ。店の達ちゃんがね、読書会ってのを作って、そこでこの「新しい農村」というやつをやるんだよ」

新吉は誇らしそうに恥らいながら姉の信子に向って言ってしまうと暗闇の向うに消えた。

「団結だ、団結だって阿保らしい。水飲み百姓はいつまでたっても水飲み百姓だあ……前田の親父はいまに悪いことをしでかすって言いに来たんだよ」

ウトの鈍重な牛のような眼に自棄的なものがたゞよい、新吉の去った方をみつめて言った。生れ落ちたときから貧困のなかに育ったものゝもつ、本能的な自己防衛の、強い狡猾な性格のむきだしのものだった。ウトは部落のいろいろな話をきかせたが、話がつきるとスクラップの少なくなったことをくどくど弱々しい声で同じことをくり返しくり返し信子に聞かせた。

幸夫と民子は眠っていた。

信子は帰らなければいけない、と思った。

「信子、無理するなや」ウトは門までできて、信子がいらないという黒砂糖の新聞包みを信子の手ににぎらせた。

田舎の夜は静かだった。

達ちゃんの店は雨戸が閉まっていたが、なかから話し声が聞えた。

よく透る声で話をしているのは達ちゃんに違いない。信子には、ひとつひとつの話にびっくりしたり、少しもわからないで話し手の口もとだけをみつめている新吉の顔の表情を思いだした。

達ちゃんの店の角をまがると仏桑華の垣根が続いた。葉なのか花なのか、みわけがつかなかった。

信子が幼いころ達ちゃんたちと一緒にママゴトの花嫁遊びで、この仏桑華の花をおかっぱの髪につけているのを達ちゃんのお婆さんに見つけられ、ひどく叱られたことがあったが、幼い信子にはとんとわけがわからず、泣いて家に逃げ帰ったのをおぼえている。

それ以来、信子は漠然とこの赤い花をおそれていた。

この赤い花は花の芯にねばっこい粘液があり、何か暗い感じを与える。だがしかし、この赤い花は達ちゃんのお婆さんが言ったように死人のための花であり悲しいことのための花だろうか。

……ずっと昔、飢餓と悪疫の続いた年。百姓たちは年貢物を納めさせられたうえ、首里の王城の築城の賦役を課され方々の間切から百姓たちの石や材木を運ぶ長い列が毎日毎日続けられ、おおくの百姓が飢えと炎天のために死んでいった。恐ろしい死の光景があった。百姓たちは死の眠りにひとしい疲労した体を執達吏たちの厳しい看視の下で、道ばたの木影に倒れるようにして体を休めたことだろう。そしてその灌木に咲いている暗い花が眼についたに違いない。

百姓たちは己の不幸な生涯をこの暗いみすぼらしい花に託したことだろう。おしひしがれ、いじめつけられた百姓たちの眼に共感のふれ合いと同時に己に対する嫌悪から発する――暗い貧しい花だ――と叫ぶ百姓たちの反撥があったんだろう。達ちゃんのお婆さんの言ったように……。

信子は仏桑華の垣根を過ぎて堀割への道にでた。

いま、信子の眼に大写しになってせまってくる汚れた街。太陽の下に這いつくばり、信子が生活し、信子が生きねばならない疲れきった街と貧しいけれども泥臭くたくましく新しい生活に生きようとする新吉の農村の二つのイメージが信子の沈黙と怒りの夜を生きぬいてきた感性のなかに生き生きと自覚された。

信子は思いきり泣きたかった。大きな声をだして泣きたかった。いや思いきり憎しみにたいしては体ごとぶつけてやろう、そしてうれしいことにたいしてはジョーのように表情たっぷり笑ってやろうと思った。

「琉大文学」第10号　一九五五年

あとがき

海にたとえるなら今がちょうど潮時であろう。小手をかざして見ると、あちらこちらで引き潮がゆるやかに動きはじめている。ぼさぼさしていると、ふいに現れる離岸流に掠《さら》われることもあろう。小さな渦がゆっくりと現われ、しのびよる気配。明らかに潮目が変ってきた。

ぼくは今年で八七歳トーカチを迎える。すでに歩行が困難になり耳が聴こえない。嗅覚や味覚もおとろえ、身体のあちらこちらの部位の劣化をひしひしと感じている。

一昨年（二〇一九年）に「新沖縄風物誌」を上梓《じょうし》したとき、下巻を四、五年かけて熟成させてから本にしようと思っていたが、とても四、五年の猶予はあやしくなった。できることなら全編を再編して上・下巻にする予定であったが今は呑気な余裕はなくなった。不完成な形で不満を残しながら出版することにした。

ぼくの「新沖縄風物誌」はぼくの予想を越えて多くの読者を得ることができた。全県から続編の出版をうながす手紙をいただいた。

ぼくの基本的な立場はいかなる主義・思想にも縛られることのない自由な精神をつらぬき、その表現には意をつくしてきた。喜舎場朝順の本は「読んでタメになる　おもしろい　苦スと笑う」をいう言葉がキャッチフレーズになった。

ぼくの文章は高校生向けの副読本のつもりで書いているから声に出して読んでほしいと思っている。読者のみなさんのお子さんやお孫さんにお奨《すす》めねがいたい。

いつの日にか、具眼《ぐがん》の士が現れて喜舎場の文章を評価してくれて「これはうちの大学の新入生の入門書にしたい」と。もちろん全篇などはない。この出版にあわせて「新沖縄風物誌」アラカルトの冊子を作った。ご自由に利用してください。

喜舎場朝順

二〇二一年二月十二日　旧正月

装画　喜舎場やよい

著者紹介

喜舎場朝順（きしゃば　ちょうじゅん）

1934年（昭和9）南風原町兼城生まれ。首里高を経て琉大国文科。「琉大文学」同人。日本大学国文科卒業。高校の国語教師。沖縄県高教組委員長など。著書俳句集「沖縄の四季」、随筆集「新沖縄風物誌」

新沖縄風物誌 Ⅱ

二〇二一年十二月四日　初版第一刷発行

著　者　喜舎場朝順

発行所　新星出版株式会社
〒九〇〇-〇〇〇一
沖縄県那覇市港町二-一六-一
電　話（〇九八）八六六-〇七四一
ＦＡＸ（〇九八）八六三-四八五〇

印　刷　新星出版株式会社

ISBN978-4-909366-77-1 C0095
定価はカバーに表示してあります。